Bender/Müller   Hamburg-Report

OTTO BENDER, Jahrgang 1921, durch und durch Hamburger
und engagierter Fotoamateur, setzt seit über zwanzig Jahren alles
daran, das Bild seiner Heimatstadt mit der Kamera einzufangen.
Seine Arbeit hat in zahlreichen Hamburg-Publikationen,
Zeitschriften und in der Tagespresse Beachtung gefunden. Dieses Buch,
das in aller Welt für Hamburg werben soll, wurde aus Benders
schönsten und aktuellsten Fotos zusammengestellt: darunter so
manches Bild, das eine Liebeserklärung an die Vaterstadt darstellt.

Zweite aktualisierte Auflage. 1977

Copyright 1975 by Das Topographikon · Verlag Rolf Müller, Hamburg 60
Alle Rechte vorbehalten · Printed in Germany
Druck Ernst Klett Druckerei, Stuttgart 1
Buchbindung Hollmann KG., Darmstadt · Satz Alfred Utesch, Hamburg
ISBN 3-920953-05-3

Die Fotos vom Schiffsmodell (Seite 6) und von der Kaufmannsdiele (Seite 16)
stellte freundlicherweise das Museum für Hamburgische Geschichte
zur Verfügung, die Alt-Hamburger Bilder (Seiten 12 und 19) die Galerie
«Die Hamburgensie», Hamburg 1, Gerhart-Hauptmann-Platz.
Die Luftaufnahmen lieferte Bildflug Hamburg «BfH» K. H. Metzler, Hamburg 62,
diese sind freigegeben durch das Luftamt Hamburg unter den Nummern 1361/75,
463/75, 1367/75, 2135/73, 1359/75, 72/75, 1375/75 und 1398/75.
Das Foto von der Michaeliskirche (Seite 18) stammt von Albin Müller, Hamburg.
Die Übersetzungen besorgten: Basil Thomas (Englisch), Dr. José Navarro (Spanisch)
und Ingrid Dirnagel (Französisch), alle in Hamburg.

HAMBURG report

222 Farbbilder | 222 colour pictures

222 vues en couleur | 222 ilustraciones en color

Fotos Otto Bender

Text und Gestaltung Rolf Müller

DAS TOPOGRAPHIKON · VERLAG ROLF MÜLLER

HAMBURG 60

Welcome to Hamburg

Whichever part of the world you have come from—whether as a businessman concerned with industry, commerce or shipping, or as a tourist with the intention of getting to know at first hand the culture and way of life in Hamburg—I bid you welcome and assure you that Mercury and the Muses have a lot to offer you here. By the way, my name is Hammonia. I am the most senior citizen of Hamburg—the good spirit of this city so to speak. For 1200 years I still look quite sprightly. I'll tell you the secret: it's because of the bracing Hamburg climate which is better than its reputation. You will find many things on the Elbe and Alster to be quite different from what you imagined. Don't hesitate to alter your impression of Hamburg. I'll be glad to help you . . . And now I would like to introduce to you some gentlemen with whom I was acquainted in my younger years. Naturally in an honourable way! First of all there is *Charlemagne.* Whether it was he who fortified the old Saxon refuge «Hammaburg» after A.D. 804 as a bulwark against the heathens, or his son Ludwig in 825, this is something which has been obscured in the darkness of my early years. On the other hand, I am more certain that in 831 Archbishop *Ansgar* used the Hammaburg as a base for his missionary work. It was *Adolf III,* Count of Schauenburg, who, in 1189, succeeded in obtaining from *Barbarossa* the Charter which guaranteed the merchants and mariners of Hamburg freedom from customs dues and tolls.

Bienvenido a Hamburgo

Cualquiera que sea el país del mundo del que procede y ya se deba su visita a un viaje de negocios sobre asuntos industriales, comerciales, de navegación o de carácter privado, para conocer la cultura y vida de los hamburgueses: le doy la bienvenida y le prometo que Mercurio y las Musas tienen preparada para Vd. una rica oferta. Por cierto, mi nombre es Hammonia. Soy la hamburguesa más antigua y una especie de hada de esta ciudad. Para tener casi 1200 años no estoy mal del todo. Confidencialmente: es el clima fresco de Hamburgo, mucho mejor que su fama. En general encontrará junto al Elba y al Alster muchas cosas que se había imaginado completamente distintas. Modifique sin miedo su imagen de Hamburgo. Estoy dispuesta a ayudarle . . . Y ahora quiero presentarle algunos señores con los que tuve contacto en mi juventud. Con todo decoro, desde luego. Ahí está, en primer lugar, *Carlomagno.* Si fue él quien ordenó transformar el viejo refugio sajón «Hammaburg» en un bastión contra los paganos después del 804, o bien su hijo Luis hacia el 825, es un capítulo oscuro que permanece oculto en los años de mi juventud. Lo que sí es seguro es que, hacia el año 831, el Arzobispo *Ansgar* desplegó su acción misionera desde «Hammaburg». *Adolfo III,* Conde de Schauenburg, fue el que consiguió de *Federico Barbarroja* en 1189 la Carta Magna, que garantizaba a los hamburgueses libertad arancelaria para el comercio y la navegación.

Bienvenu à Hambourg

Quelque soit le coin du monde d'où vous veniez, que ce soient les affaires, l'industrie ou le commerce, la navigation ou simplement l'intention de connaître la culture et l'architecture de ma ville qui vous aient amenés ici, je vous souhaite la bienvenue et vous promets que ni Mercure ni les Muses vous décevront. D'ailleurs je m'appelle Hammonia. Avec mes 1200 ans, je suis la plus ancienne des Hambourgeoises et la patronne de la ville. Pour mon age, je ne suis pas si mal conservée. Mon secret: l'air frais de Hambourg dont le climat est bien meilleur que sa réputation. A bien d'autres occasions, vous constaterez que les choses sont autres que vous les imaginiez. Renvoyez vos idées préconçues de Hambourg. Je vous aiderai. Je voudrais d'abord vous présenter quelques Messieurs qui, dans ma jeunesse avaient, en tout bien tout honneur, des rapports avec moi. Par exemple *Charlemagne.* Est-ce en 804 lui, ou son fils Louis, en 825, qui transforma le château fort saxon Hammaburg en bastion contre les invasions païennes, restera un des mystères de ma jeunesse. Par contre, il est certain qu'en 831 l'archevêque *Ansgar* fit du fort Hammaburg un centre de conversion des infidèles. Ce fut le comte *Adolphe III* de Schauenburg qui obtint en 1189 de l'empereur *Frédéric, dit Barberousse,* la lettre de franchise qui fut la base du port international de Hambourg.

Michaelisstraße:
Karl der Große

Trostbrücke:
St. Ansgar

Mosaik am Rathaus   Mosaic on the City Hall   Mosaico del Ayuntamiento   Mosaîque à la façade de l'hôtel de ville

Willkommen in Hamburg

Aus welcher Richtung der Windrose Sie in meine Stadt auch gekommen sind — ob als Geschäftsreisender in Sachen Industrie, Handel und Schiffahrt oder ganz privat mit der löblichen Absicht, Kultur und Urbanität der Hanseaten aus erster Hand kennenlernen zu wollen: gleichviel, ich heiße Sie willkommen und verspreche Ihnen, daß Merkur und die Musen hierorts ein reiches Angebot für Sie bereithalten. Doch erlauben Sie, daß ich mich Ihnen vorstelle. Mein Name ist Hammonia. Ich bin die dienstälteste Hamburgerin, sozusagen der gute Geist dieser Stadt. Für meine bald 1200 Jahre habe ich mich recht passabel gehalten, werden Sie sagen. Ich verrate es Ihnen: Das kommt vom frischen Hamburger Klima, das viel besser ist als sein Ruf. Überhaupt werden Sie an Elbe und Alster so manches vorfinden, von dem Sie ganz andere Vorstellungen gehabt haben. Korrigieren Sie getrost Ihr Hamburg-Bild. Ich helfe Ihnen dabei ... Und nun möchte ich Sie mit einigen Herren bekannt machen, die in meinen jungen Jahren Beziehungen zu mir hatten. Natürlich in allen Ehren! Da ist zuerst *Karl der Große.* Ob er nach Anno 804 die altsächsische Fluchtburg «Hammaburg» zum Bollwerk wider die Heiden umfunktionieren ließ oder erst um 825 sein Sohn Ludwig, das bleibt im Dunkel meiner frühen Jahre verborgen. Sicher dagegen ist, daß um 831 Erzbischof *Ansgar* aus meinen Mauern missionierend tätig war. *Adolf III.,* Graf von Schauenburg, war es, der 1189 von *Friedrich Barbarossa* jenen Freibrief erwirkte, der den Hamburgern Zollfreiheit für Handel und Schiffahrt garantierte und somit den Grundstein zum Welthafen Hamburg legte.

Trostbrücke:
Graf Adolf III.

Rathaus:
Barbarossa

Wappen von Hamburg (III): Schiffsmodell von 1720 Ship's model from 1720 Modelo de barco de 1720 Maquette de navire de 1720

order to prove to the Imperial Supreme Court my city's sovereignty over the river Elbe down to the sea. The map is kept in the Hamburg State Archives along with the «Rote Stadtbuch» of 1301, which is considered to be the oldest original manuscript of Hamburg municipal law. To defend the city against pirates, the convoy ship «Wappen von Hamburg» (III) was used, and a model of this, made in 1720, can be seen in the Museum of Hamburg History.

Esto en cuanto a mi galería de antepasados. Por cierto: los hamburgueses tuvieron que seguir luchando por sus privilegios, como documenta el mapa del Elba de Melchior Lorichs, que le encargó el Concejo de Hamburgo en 1568, para demostrar ante el Tribunal del Imperio la soberanía de mi ciudad sobre el Elba hasta su desembocadura. Este mapa se conserva en el Archivo Nacional de Hamburgo, con el «Rote Stadtbuch» de 1301, el más antiguo manuscrito sobre derecho municipal hamburgués. Para la defensa contra los piratas se servían del buque convoy «Wappen von Hamburg» (III), cuyo modelo de 1720 se puede admirar en el Museum für Hamburgische Geschichte.

Voilà, la galerie de mes ancêtres. D'ailleurs, les Hambourgeois ont toujours dû lutter pour leurs privilèges. Une carte de l'Elbe de Melchior Lorichs en est témoin. Le Conseil de Hambourg l'a fait faire en 1568 pour prouver devant le tribunal de l'empire ses droits suprêmes sur l'Elbe jusqu'à son embouchure. Cette carte est conservée aux archives nationales de Hambourg où se trouve également le Rote Stadtbuch de 1301 qui serait le plus ancien manuscrit original connu traitant le droit municipal de Hambourg. L'escorteur «Wappen von Hamburg» (III), dont la maquette de 1720 peut être admirée au Museum für Hamburgische Geschichte, servait à la défense contre les pirates.

Soweit meine kleine Ahnengalerie. Für ihre Privilegien mußten die Hamburger übrigens immer wieder kämpfen. Davon zeugt Melchior Lorichs' Elbkarte, die Hamburgs Rat 1568 anfertigen ließ, um damit vor dem Reichskammergericht die Alleinhoheit meiner Stadt über den Elbstrom bis zur Mündung nachzuweisen. Die Karte wird bewahrt im Staatsarchiv Hamburg, ebenso das «Rote Stadtbuch» von 1301, das als die älteste erhaltene Originalhandschrift eines Hamburger Stadtrechts gilt. Der Verteidigung gegen Seeräuber diente das Convoyschiff «Wappen von Hamburg» (III), dessen 1720 erbautes Modell im Museum für Hamburgische Geschichte zu bewundern ist.

So much for my ancestors. The people of Hamburg had to fight constantly for their privileges. Evidence of this can be seen from Melchior Lorichs's map of the Elbe which the City Council commissioned in 1568 in

Staatsarchiv Hamburg: Stadtsiegel aus dem 13. Jahrhundert
Seal from 13th century Sello del siglo XIII Sceau du 13ème siècle

Stadtrecht von 1301
mit Miniatur: Christus als
Weltenrichter

City charter of 1301
with miniature figure of Christ
as judge of mankind

Derecho municipal de 1301.
Miniatura: Cristo como
Juez Universal

Droit municipal de 1301
et miniature de Jesus-Christ,
le Souverain Juge

Melchior Lorichs: Elbkarte von 1568 (Ausschnitt)
Map of the Elbe from 1568 (section)   Mapa del Elba de 1568 (fragmento)   Carte de l'Elbe de 1568 (extrait)

Und nun lege ich Ihnen Hamburg zu Füßen. Hamburg heute! Die Freie und Hansestadt – wie sie sich, rund hundert Kilometer von der Elbmündung entfernt, an beiden Ufern des Stromes erstreckt: Stadt und Staat zugleich. Denn Hamburg ist eines der Länder der Bundesrepublik. 747 Quadratkilometer mißt sein Gebiet, bei einer Grenzlänge von 206 Kilometern und einem größten Durchmesser von 40 Kilometern. Hamburg ist Lebensraum für beinahe 1,8 Millionen Menschen; fast eine Million finden ihre Arbeit in dieser Wirtschaftsmetropole, davon über hunderttausend als Pendler aus den umliegenden Ländern Schleswig-Holstein und Niedersachsen. Von den Norderelbbrücken geht der Blick von Südosten über die Binnen- und Außenalster bis weit zum Flughafen Fuhlsbüttel.

And now I'd like to show you Hamburg. Hamburg today! The Free and Hanseatic City—stretching out along both banks of the River Elbe some 60 miles from the North Sea: both city and state. For Hamburg is one of the states which make up the German Federal Republic. It covers an area of some 290 sq. miles, has a diameter of 25 miles and the length of its boundary is almost 130 miles. The population of Hamburg totals approximately 1.8 million; some 1 million people work in this industrial and trading center and more than 100,000 are commuters from surrounding districts in Schleswig Holstein and Lower Saxony. From the bridges over the North Elbe one can look towards the Alster Lakes as far as Fuhlsbüttel Airport.

Y ahora pongo a Hamburgo a sus pies. Hamburgo, hoy. La Libre y Hanseática Ciudad, a unos cien kilómetros de la desembocadura del Elba, extendida a ambas orillas: Ciudad y Estado al mismo tiempo. Pues Hamburgo es uno de los Estados de la República Federal. Su territorio mide 747 kilómetros cuadrados, su perímetro, 206 kilómetros y su diámetro mayor, 40 kilómetros. Hamburgo es el espacio vital de casi 1,8 millones de personas; casi un millón tiene su puesto de trabajo en esta metropoli hamburguesa de ellos, más de cien mil, domiciliados en los Estados vecinos de Schleswig-Holstein y Baja Sajonia. De los puentes del Elba la vista llega por el Alster interior y exterior hasta el aeropuerto de Fuhlsbüttel.

Et maintenant, je mets Hambourg à vos pieds. Hambourg aujourd'hui. La ville libre et hanséatique s'étend sur environ 100 km jusqu'à l'embouchure de l'Elbe, le long des deux rives: ville et état en même temps, car Hambourg est un des Länder de la République fédérale. Son territoire mesure 747 km², la longueur de ses frontières est de 206 km et mesure 40 km à l'endroit le plus large. Hambourg compte presque 1,8 millions d'habitants, presqu'un million de personnes ont trouvé du travail dans ce centre industriel de Hambourg, dont presque cent mille viennent tous les jours des Länder voisins, du Schleswig-Holstein et de la Basse-Saxe. Partant des ponts de l'Elbe, votre regard parcourt le sud-est, l'Alster intérieure et extérieure pour se poser sur l'aéroport Fuhlsbüttel.

Dammtorbahnhof Dammtor Station Estación de Dammtor Gare Dammtor   Hauptbahnhof Central Station Estación Central Gare centrale

Europastraße 3: die Autobahn bei Waltershof   The motorway near Waltershof   La autopista en Waltershof   L'autoroute près de Waltershof

Tunnel-Einfahrt Tunnel entrance Entrada del túnel Bouche du tunnel   Norderelbbrücke North Elbe Bridge Puente del brazo Norte del Elba

Großer Bahnhof für Hamburg-Besucher: die Überseebrücke   Landing-stage for visitors to Hamburg: Overseas Pier   Acceso principal para los visitantes de Hamburgo: el Überseebrücke   Grand acceuil pour les visiteurs de Hambourg: l'Überseebrücke

Auf vielen Wegen kommen Sie nach Hamburg. Mit der Eisenbahn, mit dem Flugzeug. Als Kreuzfahrer betreten Sie erstmals Hamburger Boden auf der Überseebrücke. Nähern Sie sich meiner Stadt vom Süden über die Autobahn, so sehen Sie schon von ferne ihre Skyline. In die City gelangen Sie über die Elbbrücken oder durch den neuen, 3,3 Kilometer langen Elbtunnel, der das zweitlängste Bauwerk seiner Art auf der Welt ist.

De muchas maneras puede venir a Hamburgo. Por tren, por avión. Como pasajero de un crucero tocará el suelo de Hamburgo por primera vez en el Überseebrücke. Acérquese a mi ciudad, por el Sur, por la autopista, y verá ya desde lejos su silueta. A través de los puentes del Elba llegará a la City, o por debajo del río, a través del nuevo túnel del Elba, de 3,3 kilómetros, la segunda obra del mundo por su longitud.

There are many ways to come to Hamburg. By rail, air, sea or road. If you come to Hamburg as part of a cruise, you first step on shore at Overseas Pier. If you approach my city from the south by motorway you will be able to glimpse its skyline already from afar. You can make for the city centre either over the Elbe Bridges or by using the new 2-mile long Elbe Tunnel, the second longest tunnel of its kind in the world.

De nombreux chemins mènent à Hambourg. Venez en train ou en avion. Si vous avez choisi le bateau, votre premier contact avec Hambourg aura lieu à l'Überseebrücke. En voiture, venant du sud et passant par l'autoroute, vous apercevrez de loin la silhouette de la ville. Pour arriver au centre vous traverserez l'Elbe par les ponts ou par le nouveau tunnel long de 3,3 km qui est dans le monde la seconde construction de ce genre.

Als erstes sollten Sie der City einmal ins Herz sehen. Genau im Zentrum des alten Hamburger Stadtkerns erhebt sich das Rathaus der Freien und Hansestadt, vollendet 1897 im Stil deutscher Renaissance, ein bedeutendes Bauwerk des Historismus. Das Rathaus müssen Sie besichtigen, wenn Sie verspüren wollen, wie Hamburg geworden ist: Ein Gemeinwesen, das von Anfang an durch freie Bürger in eigener Verantwortung aufgebaut worden ist, frei von Untertanengeist und ebenbürtig den Fürsten und Königen. Im Turmsaal des Rathauses wird Ihnen hanseatisches Selbstbewußtsein deutlich, dort, wo die Wandgemälde der ältesten Stadtrepubliken Athen, Rom, Venedig und Amsterdam die großen Parallelen vor Augen führen. Mit äußerer Repräsentation sind wir in Hamburg sparsamer. So dürfen die Wagen der Senatoren und Staatsräte den Stander mit dem Großen Staatswappen nur zu besonderen Anlässen führen, früher prangte das Staatswappen auf der Bockdecke der Ratsherrenkutschen.

First of all you should take a close look at the city centre. Right in the heart of Hamburg stands the City Hall which was completed in 1897 in German Renaissance style and is regarded as an important work of this period. You should go on a conducted tour of the City Hall if you wish to understand how Hamburg has developed: a community which from early beginnings was built up through its free citizens, each one taking responsibility, free from subjection and equal to kings and princes. In the Tower Room, Hanseatic pride and self-confidence will become clear when you see the parallel features depicted in the murals of the oldest civic republics of Athens, Rome, Venice and Amsterdam. In Hamburg we are not so lavish with outward splendour. Thus the official cars used by Senators and State Counsellors are only allowed to fly the Hamburg coat of arms on important occasions; formerly this was displayed on the driver's seat of the official coaches.

Lo primero que tiene que ver es la City. Exactamente en el centro del viejo corazón de Hamburgo se levanta el Ayuntamiento, acabado en 1897, en estilo Renacimiento alemán, una importante obra del Historismo. No deje de visitarlo si quiere saber cómo se ha hecho Hamburgo: una comunidad erigida desde los comienzos por ciudadanos libres bajo su propia responsabilidad, libre de espíritu servil y codeándose con príncipes y reyes. En el salón de la torre del Ayuntamiento podrá darse cuenta de la conciencia hanseática, allí, donde las pinturas murales de las más antiguas ciudades-república, Atenas, Roma, Venecia y Amsterdam, ofrecen claros paralelos. En cuestiones de ostentación somos ahorrativos en Hamburgo. Y así, los autos de los Senadores y Concejales solamente llevan el estandarte con el escudo de la ciudad en los grandes acontecimientos; antiguamente engalanaba las mantas del pescante de los coches de los Concejales.

Commencez par ausculter le cœur de Hambourg. Juste au centre de l'ancien noyau de la ville, s'élève l'Hôtel de Ville de la ville libre et hanséatique, terminé en 1897, en style Renaissance allemande, un monument historique important. N'omettez pas de visiter l'hôtel de ville qui vous révèlera le caractère actuel et celui d'antan de Hambourg: une communauté qui dès le début fut fondée sous la propre responsabilité de ses citoyens, en absolue égalité, et libres de toute servitude envers les princes et rois. La fierté hanséatique devient apparente dans la salle de la tour de l'hôtel de ville, où les peintures murales des républiques d'Athènes, Rome, Venise et Amsterdam établissent des parallèles avec Hambourg. Quant à la représentation extérieure, Hambourg est très révervé. Les voitures officielles des sénateurs et conseillers d'état affichent le fanion avec l'emblème de la ville qu'aux grandes occasions. Dans le passé, l'emblème ornait les couvertures couvrant le cocher des carosses officielles.

Hygieiabrunnen

Ratsstube Council Chamber Sala del Ayuntamiento La Salle de réunion

Rathausdiele City Hall foyer
Vestíbulo del Ayuntamiento Hall de l'hôtel de ville

Hier bin ich, Ihre Hammonia! Sie entdecken mich im Halbrund der Loggia über dem Rathausportal; in der erlauchten Umgebung der Statuen von Karl dem Großen und Barbarossa. Über mir die vier Bürgertugenden Tapferkeit, Frömmigkeit, Eintracht und Klugheit, und in Latein der Sinnspruch: Die Freiheit, die die Väter erwarben, möge die Nachwelt würdig zu erhalten trachten. Unter mir dudelsackpfeifende Schotten, die für die Glasgow-Werbung nicht mit ihren Reizen geizen. Die Rathausdiele empfängt Sie mit ihren wuchtigen Säulen und dem mächtigen Sterngewölbe. Die Ratsstube besitzt in der Decke nach alter Tradition ein Oberlicht; hier regiert der Erste Bürgermeister als Erster unter Gleichen: Über dem Kollegium nur der Himmel und Gottes Ratschluß.

Here I am, your Hammonia. You will find me in the loggia above the entrance to the City Hall. In the illustrious company of the statues of Charlemagne and Barbarossa and above me, the four Virtues of Justice, Prudence, Temperance and Fortitude and in Latin, the inscription which, translated, means «May posterity preserve the freedom won by its fathers». On the square below me, Scottish bagpipers who spare no effort in advertising for Glasgow. The main entrance hall receives you with its massive pillars and vaulted roof. The Council Chamber has a glass ceiling in conformity with old tradition. This is where the Chief Burgomaster rules as «primus inter pares»: above the assembly, only the sky and God's guidance.

¡Aquí estoy!, ¡Hammonia!. Me descubrirá en el semiarco sobre el portal del Ayuntamiento; entre la noble compañía de las estatuas de Carlomagno y Barbarroja. Sobre mí, las cuatro virtudes ciudadanas, valor, piedad, concordia y prudencia, y en latín, la leyenda: que la libertad que ganaron los padres sepan mantenerla dignamente los descendientes. A mis pies, escoceses tocando la gaita, que no regatean esfuerzos en su propaganda de Glasgow. El vestíbulo del Ayuntamiento le recibirá con sus recias columnas y su imponente bóveda sideral. El salón del Concejo tiene, según la tradición antigua, un tragaluz en el techo. Aquí preside el primer Burgomaestre las sesiones como primus inter pares: sobre el Senado está solamente el Cielo y la decisión de Dios.

Me voilà, votre Hammonia. Vous me découvrez dans la pénombre de l'arceau au dessus du portail de l'hôtel de ville, en compagnie des statues de célébrités: Charlemagne et Barberousse. Au-dessus de moi, les quatres vertus civiques, courage, piété, unité et sagesse; en Latin la sentence: que la postérité sache dignement garder la liberté que les ancêtres lui ont léguée. A mes pieds vous voyez des joueurs de cornemuses écossais qui étalent leurs attraits en l'honneur de Glasgow. Le hall d'entrée de l'hôtel de ville avec ses colonnes imposantes et sa voûte étoilée vous acceuille. La salle de réunion est traditionnellement équipée d'une verrière. C'est ici le règne du bourgmestre, premier entre ses égaux, avec comme seul témoin le ciel et la Providence.

Im Gebäude gleich neben dem Rathaus, in der Börse, regiert Gott Merkur, übrigens auch bei Tageslicht. Sie dürfen sich die prickelnde Atmosphäre der steigenden und fallenden Kurse, der schreienden und gestikulierenden Makler nicht entgehen lassen; von der Galerie im ersten Stock können Sie montags bis freitags von 11.30 bis 13.30 Uhr dem Treiben in der Wertpapierbörse zusehen. Hamburgs 1558 gegründete Börse ist die älteste Deutschlands. Vom merkantilen Leben der alten Zeit kündet im Museum für Hamburgische Geschichte die schöne Kaufmannsdiele.

In the building near to the City Hall, in the Stock Exchange, it is Mercury who rules—also by daylight. Go inside and experience the exhilarating atmosphere of rising and falling share prices, where brokers shout and gesticulate. You will obtain a good view of the proceedings from the gallery which is open Monday to Friday from 11.30 a.m. to 1.30 p.m. The Stock Exchange was founded in 1558 and is the oldest in Germany. An impression of commercial life in the old days is provided by the Merchants' Hall in the Museum of Hamburg History.

En el edificio anejo al Ayuntamiento, la Bolsa, reina el dios Mercurio, también a la luz del día. No debe dejar escapar la animada atmósfera de los cambios que suben y bajan, de los corredores que gesticulan y gritan. Desde la galería puede presenciar el trajín de la Bolsa de valores, de lunes a viernes, desde las 11.30 a las 13.30. La Bolsa de Hamburgo, fundada en 1558, es la más antigua de Alemania. De la vida mercantil de los viejos tiempos da testimonio en el Museum für Hamburgische Geschichte (Museo de Historia de Hamburgo) el portal de la casa de un comerciante.

Dans la bourse, à côté de l'hôtel de ville, c'est Mercure qui règne. N'omettez pas de vivre cette ambiance animée par la baisse et la hausse des valeurs, les exclamations des courtiers gesticulants. La galerie au premier étage, ouvert au public du lundi au vendredi de 11.30 à 13.30 h., vous permet de regarder de près les activités de la bourse. Fondée en 1558, la bourse de Hambourg fut la première en Allemagne. Le hall des commerçants au «Museum für Hamburgische Geschichte» (Musée de l'histoire hambourgeoise) évoque la vie commerciale des temps passés.

Museum für Hamburgische Geschichte: Kaufmannsdiele aus der Deichstraße   Hall of merchant's house from Deichstraße
Un portal de la casa de un comerciante de la Deichstraße   Hall d'une maison de commerçant provenant de la Deichstraße

Hamburgs älteste Ruine finden Sie unter dem Eckhaus Speersort/Kreuslerstraße: Es ist das ringförmige Fundament des Fluchtturmes aus dem 11. Jahrhundert, den wahrscheinlich Hamburgs Erzbischof Bezelin-Alebrand (1035/43) nördlich der Hammaburg, hart am Wall, erbauen lassen hat. Der 1962 gemachte Fund gilt als die älteste steinerne Befestigung nördlich der Elbe. Zwischen 845 und 1072 ist die Hammaburg sechsmal zerstört worden. Auch später, 1842 und 1943, wurde die Stadt von Katastrophen heimgesucht, erblühte aber immer wieder zu neuem Leben.

Hamburg's oldest ruin can be found beneath the building on the corner of Speersort/Kreuslerstrasse: the circular foundation of a tower from the 11th century which Hamburg's Archbishop Bezelin-Alebrand (1035—43) probably had built north of the Hammaburg, close to the defensive wall. It was discovered in 1962 and is considered to be the oldest stone fortification north of the Elbe. The Hammaburg was destroyed six times between 845 and 1072. Hamburg also suffered catastrophes in 1842 and 1943, but, like a phoenix, rose again from the ashes.

Der Michel nach den Bombenangriffen 1943 The «Michel» in 1943 El Michel en 1943 Le Michel après 1943

Die brennende Börse in der Nacht zum 6. Mai 1842   The old Stock Exchange on fire in the night of 6 May 1842   La Bolsa en llamas en la noche del 6 Mayo de 1842   La bourse incendiée dans la nuit du 6 mai 1842

La más vieja ruina de Hamburgo está bajo el chaflán Speersort/Kreuslerstrasse: es el cimiento circular de la torre de refugio del siglo XI, hecha construir probablemente por el Arzobispo de Hamburgo Bezelin-Alebrand (1035/43), al Norte de Hammaburg, junto a la muralla. Esta ruina descubierta en 1962 se considera la fortificación más antigua al Norte del Elba. Entre el 845 y 1072 Hammaburg fue destruida seis veces. También después, en 1842 y 1943 la ciudad fue víctima de catástrofes, pero siempre ha vuelto a florecer.

La plus vieille ruine historique de Hambourg se trouve au sous-sol de la maison à l'angle des rues Speersort/Kreuslerstrasse et date du 11ème siècle. Il s'agit du fondement de la tour fortifiée vraisemblablement construite par l'archevêque de Hambourg, près du rempart. Ce monument fut mis à jour en 1962 et est considéré comme la plus ancienne fortification en pierre au nord de l'Elbe. Entre 845 et 1072 la Hammaburg fut détruite six fois. En 1842 et 1943 la ville fut encore frappée de catastrophes.

Das Nikolaifleet mit der Trostbrücke und dem Patriotischen Gebäude

Dem Brand von 1842 fiel ein Viertel Hamburgs zum Opfer. Wo damals die «Weißkittel» Wasser aus dem Nikolaifleet pumpten, dümpeln jetzt Sportboote im Jachthafen. Eine Treppe führt hinab zum Fleet, wo einst die Börse stand; hoch ragt auf dem Grund des alten Rathauses das Patriotische Gebäude. Auf der Trostbrücke die Statuen von Ansgar und Graf Adolf III. — eine Idylle, wo im 12. Jahrhundert die Wiege des Hamburger Hafens stand.

The Great Fire of 1842 destroyed one quarter of Hamburg. Where firemen at that time pumped water out of the Nikolaifleet, pleasure boats now bob up and down in the yacht harbour. Steps lead down to the canal on which the old Bourse used to stand; the Patriotisches Gebäude now rises up on the site of the former town hall. On the Trostbrücke, the statues of Ansgar and Count Adolf III—an idyllic corner which, in the 12th century, formed the nucleus of Hamburg's port.

El incendio de 1842 destruyó la cuarta parte de la ciudad. Donde antes sacaban agua del Nikolaifleet los bomberos, se balancean hoy botes deportivos en el puerto de yates. Una escalera desciende hasta el canal, donde antes estaba la Bolsa. Al fondo destaca el Patriotisches Gebäude, antiguo Ayuntamiento. En el Trostbrücke, las estatuas de Ansgar y Adolfo III; rincón idílico que fue en el siglo XII cuna del puerto.

Un quart de la ville fut ravagé par l'incendie de 1842. Là, où à l'époque les pompiers pompaient l'eau du canal Nikolaifleet, se balancent aujourd'hui les bateaux de plaisance. Un escalier mène au canal, où jadis s'élevait la bourse; à l'emplacement de l'ancien hôtel de ville se dresse aujourd'hui l'édifice «Patriotisches Gebäude». Le pont Trostbrücke est gardé des statues d'Ansgar et du comte Adolphe III: un endroit idyllique qui, au 12ème siècle, fut le berceau du port de Hambourg.

Farben und Spiegelungen. Impressionen aus der Welt der Fleete
Colours and reflections. Impressions from the world of canals
Colores y reflejos. Impresiones del mundo de los canales
Couleurs et reflets. Impressions du monde des canaux

Moderne Hochhäuser am Zollkanal, der die Stadt vom Freihafen trennt Modern buildings beside Zollkanal which separates the city from the Free Port Edificios modernos junto al Zollkanal, que separa la ciudad del puerto franco Buildings modernes au Zollkanal qui sépare la cité du port-franc

Aus der Vogelschau erinnern Hamburgs Freihafenspeicher an die Spielzeugburgen der Großelternzeit. Beiderseits des Wandrahmsfleets stehen sie in ihrer bizarren Wilhelminischen Backsteingotik. Entstanden in den letzten 20 Jahren des vorigen Jahrhunderts, sind sie längst ein Baudenkmal ihrer Epoche. Hier lagern Kautschuk, Wein, Kaffee, Tee und Gewürze. Schnuppern Sie mal in diese Häuser, Ihre Nase kann da eine Weltreise machen!

From the air Hamburg's Free Port warehouses look like fairy-tale castles. There they stand, on both sides of the Wandrahmsfleet, bizarre examples of Wilheminian redbrick Gothic. Built during the last twenty years of the last century, they have long become a monument of their period. This is where rubber, wine, coffee, tea and spices are warehoused. Sniff around some of these buildings! It will be a «world tour» for your nose.

A vista de pájaro, los almacenes del puerto franco parecen castillos de juguete. A ambos lados del Wandrahmsfleet se alzan con su bizarro estilo guillermino. Construidos en los últimos veinte años del XIX, ya no son más que un monumento conmemorativo de su época. Aquí se almacena caucho, vino, café, té, especias. Curiosee entre estos edificios. Su olfato emprenderá un amplio viaje por todo el mundo.

Vu à vol d'oiseau, les entrepôts du port-franc ressemblent à des châteaux miniatures. Des deux côtés du Wandrahmsfleet, s'élèvent des constructions en briques rouges du style gothique allemand. Conçues dans les 20 dernières années du siècle passé, elles sont déjà d'une importance historique. Ici sont entreposé du caoutchouc, vin, café, thé, des épices; reniflez ces odeurs exotiques et vous serez transportés dans un autre monde.

Aus der Welt der Speicher und Fleete in die Total-
ansicht. Ich zeige Ihnen das Häusermeer der Hamburger City zwischen Alster und Elbe, mit den Türmen von
St. Michaelis, Rathaus, St. Petri, St. Jakobi, St. Nikolai
und ganz rechts St. Katharinen am Zollkanal. In ihrer
Länge von 685 Metern die St.-Pauli-Landungsbrücken,
rechts davon die Überseebrücke für die Musikdampfer.
Unter uns die Werft Blohm + Voss, eine der beiden
Großwerften der Hansestadt. Aus dem Gewirr von Krä-
nen, Hallen, Stahlteilen und sonstigen Materialien hebt
sich ein Riesentanker ab; er liegt hier in einem der
größten Trockendocks Europas, im Dock «Elbe 17»,
das mit seinen 350 x 56 Metern Schiffe bis zu 320 000
Tonnen Tragfähigkeit aufnehmen kann.

From the world of warehouses and canals to an
overall view of Hamburg. I show you here the sea of
buildings between the Alster and the Elbe, with St. Michael's, the City Hall, St. Peter's, St. James's and St. Ni-
cholas's, and, extreme right, St. Catherine's at Zollkanal. We also see St. Pauli Landing Stages, which
are 685 metres long and to their right, the Overseas
Pier. Beneath us lies Blohm + Voss, one of the two
biggest shipyards in Hamburg. A giant tanker stands
out amidst a maze of cranes, sheds, steel sections and
other materials; it lies here in one of Europe's biggest
dry docks: the «Elbe 17» dock which measures
350 x 56 metres and can take ships of up to 320,000 tons.

Desde el mundo de almacenes y canales a la vista
total. Le voy a enseñar el mar de casas de la City,
entre el Alster y el Elba, con las torres de St. Michel,
Ayuntamiento, St. Petri, St. Jakobi, St. Nikolai y, a la
derecha, St. Katharinen. Los embarcaderos de 685 metros St. Pauli-Landungsbrücken, a la derecha, el Überseebrücke, para los transatlánticos. A nuestros pies
los astilleros Blohm + Voss, uno de los dos mayores
de la ciudad. Del cúmulo de grúas, tinglados y piezas
de acero destaca un petrolero gigante, preso en uno
de los mayores diques secos de Europa, el «Elbe 17»,
que con sus 350 metros por 56 de ancho admite barcos
de hasta 320.000 toneladas.

Quittez le monde des entrepôts et canaux pour une
vue générale. Je vous montrerai, à perte de vue, les
bâtiments du centre de Hambourg situés entre l'Alster
et l'Elbe, dominés par les flèches de St. Michaelis,
le clocher de l'hôtel de ville, les flèches de St. Petri,
St. Jakobi, St. Nikolai et à l'extrême droite, celle de
St. Katharinen au Zollkanal. A droite les quais Überseebrücke et l'embarcadère St. Pauli avec sa longueur
considérable de 685 m. A nos pieds, le chantier naval,
Blohm + Voss, un des deux grands chantiers naval de
notre ville. Dans un labyrinthe de grues, hangars, divers
éléments d'acier et autres matériaux, crâne un pétrolier
géant. Il repose dans une des plus grandes cales-séche
d'Europe, la cale Elbe 17, qui avec ses 350 m sur 56 m,
peut héberger des navires jusqu'à 320 000 tonnes.

Trockendock «Elbe 17» und der Uhrturm an den St.-Pauli-Landungsbrücken — Schiffe, Kräne, Waggons und Lagerhallen an den Kais —, Schiffsmaler bei der Arbeit: Bilder aus dem Alltag des Welthafens, der die Ausmaße einer mittleren Großstadt hat. Gesamtlänge der Kais: 65 Kilometer.

Dry dock «Elbe 17» and the clock tower of the St. Pauli Landing Stages—ships, cranes, waggons and transit sheds—ship's painters at work: scenes from everyday life in the port which covers an area equivalent to a medium-size town. The total length of its quays is more than 40 miles.

El dique seco «Elbe 17» y la torre del reloj en St. Pauli-Landungsbrücken — barcos, grúas, vagones y tinglados en los muelles —; pintor de barcos en su tarea: cuadros de la vida del puerto, que tiene las proporciones de una gran ciudad mediana. Longitud de los muelles: 65 km.

La cale-sèche «Elbe 17» et à côté l'horloge de l'embarcadère «St. Pauli-Landungsbrücken» — navires, grues, wagons, hangars, les quais, renouvellement d'un navire: impressions de la vie quotidienne d'un port, dont la dimension est celle d'une grande ville. La longueur totale des quais est de 65 km.

Das Kommen der Schiffe...
Ships arrive...
Barcos que arriban...
L'arrivée des navires...

... und das Gehen der
Schiffe. Wiedersehens-
freude und Abschieds-
schmerz. Sehnsüchte,
Hoffnungen und Ent-
täuschungen: das sind Dur
und Moll der Hafenmelodie

... and ships depart.
The joy of meeting again
and the sorrow of parting.
Yearnings, hopes and
disappointments: the
major and minor keys of
the port symphony

... barcos que zarpan.
Alegría del reencuentro y
tristeza de la despedida.
Nostalgia, esperanza y
desilusiones: son las notas
alegres o tristes de la
melodía del puerto.

... le départ des navires.
C'est la joie de se retrouve
et la tristesse des adieux,
l'espoir et la déception
qui composent la mélodie
du port

Hafenromantik. Mondlicht am nachtblauen Himmel. Ein Segler an der Überseebrücke. Seine Masten glühen im Schein der Lampen ... Ein Festmacherboot schiebt sich durch das bronzene Wasser. Untergehende Sonne.

Romantic scene in the port. Moonlight and reflections in the water. A windjammer at Overseas Pier. Its masts glow in the lamplight ... A mooring boat chugs through the molten, bronze-coloured water. Sunset.

Estampa romántica del puerto. Luz de luna en el azul nocturno. Un velero junto al Überseebrücke. Sus mástiles brillan a la luz de las lámparas ... Un bote se desliza sobre las aguas color bronce. El sol se pone.

Scène romantique au port: clair de lune, et un ciel bleu-nuit. Un voilier à l'embarcadère. Ses mâts rougeoient sous les lumières ... Un bateau d'amarrage glisse sur l'eau vitreuse, couleur bronze. Coucher du soleil.

Alsterromantik. Bäume und Edwin Scharffs «Drei Männer im Boot» stehen silhouettenhaft vor dem Farbenfächer des Sonnenlichts . . . Zwei Ruderboote am Ufer. Segel in der Abendbrise. Stimmungen der Muße.

Romantic scene on the Alster. Tree trunks, branches and Edwin Scharff's «Three Boatsmen» silhouetted against the rays of flat sunlight . . . Two rowing boats at their moorings. Atmosphere of leisure.

Estampa romántica del Alster. Troncos, ramas y los «Tres hombres en un bote» de Edwin Scharff recortan su silueta contra el colorido del sol poniente . . . Dos botes en la orilla. Ambiente de ocio.

Scène romantique à l'Alster. Troncs d'arbres, branches et feuillage, une sculpture, à contre-jour dans la palette des couleurs du soleil couchant . . . Deux bateaux à rames. L'apaisement nous gagne.

Jungfernstieg: Frühling und Sommer Spring and summer
Primavera y verano Le Printemps et l'été

Binnenalster: Herbst und Winter Autumn and winter
Otoño e invierno L'automne et l'hiver

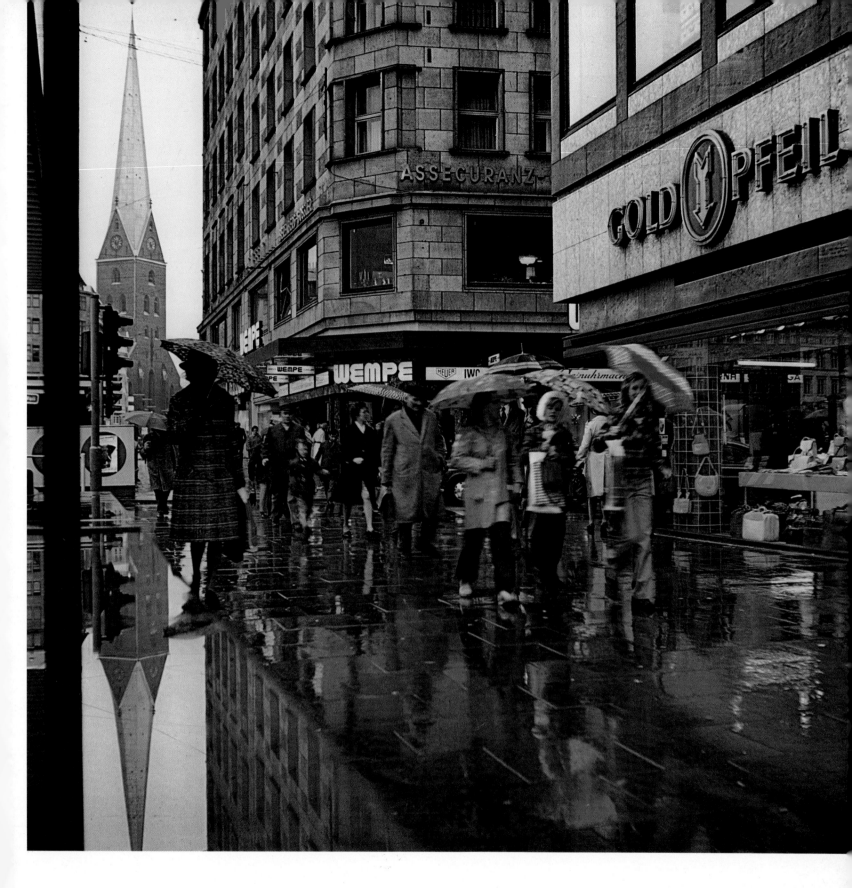

Die Binnenalster ist die gute Stube meiner Stadt, in der die Jahreszeiten ihren Zauber entfalten. Und der Regen, Hamburgs «fünfte Jahreszeit»? Halb so schlimm! Oder finden Sie den Jungfernstieg im Regen trist?

The Inner Alster is my city's «best parlour», where each season can unfold its charm. And the rain, Hamburg's «fifth season»? Not half so bad. Or do you find the Jungfernstieg depressing when it rains?

El Alster interior es el salón de mi ciudad, en el que las estaciones del año despliegan sus encantos. ¿Y la lluvia, la «quinta estación» de Hamburgo?. ¡No es para tanto! ¿O es triste el Jungfernstieg bajo la lluvia?

L'Alster intérieur est l'orgueil de Hambourg, où les beautés des saisons se déploient. La pluie à Hambourg? La cinquième saison? Trouvez-vous que le Jungfernstieg est triste sous la pluie?

Von der Anlegestelle der Alsterdampfer am Jungfernstieg her zeige ich Ihnen noch einmal das Rathaus: Sitz von Senat und Bürgerschaft. Der Senat ist Hamburgs Landesregierung, seine Mitglieder haben den Rang von Landesministern. Die Bürgerschaft, das Parlament, besteht aus 120 Abgeordneten, sie entspricht den Landtagen der deutschen Länder, erfüllt aber zugleich auch die Aufgaben einer Stadtverordneten-Versammlung. Diese Doppelfunktion der Bürgerschaft macht die Freie und Hansestadt zum Sonderfall unter den Ländern der Bundesrepublik. Von architektonischer Besonderheit ist die halbkreisförmige Treppe am Reesendamm, nahe dem Rathausmarkt, die zur Kleinen Alster hinabführt.

I would like to show you the City Hall, this time from the Jungfernstieg Alster boat terminal. The City Hall is the seat of the Senate and Citizens' Council. The Senate is Hamburg's Government and its members have the rank of State Ministers. The Citizens' Council —the Hamburg Parliament—consists of 120 members, is similar to other German State Parliaments, but also acts as a city council. This dual function of the Citizens' Council makes the Free and Hanseatic City a special case among the German Federal States. The semicircular stairway leading down to the Small Alster at Reesendamm has a special architectural charm.

Desde el atracadero de los barcos del Alster en Jungfernstieg les enseño otra vez el Ayuntamiento: sede del Senado y el Parlamento. El Senado es el Gobierno de Hamburgo y sus miembros tienen rango de Ministros. El Parlamento consta de 120 diputados, equivale a los Parlamentos de los Estados federales y es además la Asamblea de los Concejales municipales. Esta doble función del Parlamento hamburgués convierte a la Ciudad Hanseática en un caso especial entre los Estados de la República. Un detalle arquitectónico especial es la escalera semicircular en Reesendamm, cerca del Ayuntamiento, que desciende hacia el Alster interior.

Vu de l'embarcadère des bateaux à vapeur au Jungfernstieg, je vous montre à nouveau l'hôtel de ville: siège du Sénat et de la Bürgerschaft (assemblée). Le sénat est le gouvernement de Hambourg, ses membres ont le rang de Landesminister. La Bürgerschaft, institution parlementaire, se compose de 120 députés. Elle a deux fonctions et est à la fois Landtag, du même caractère que celui des Länder, et assemblée municipale. Cette double fonction de la Bürgerschaft, place la ville hanséatique dans un statut exceptionnel vis-à-vis des Länder de la République Fédérale. L'escalier au Reesendamm, près de la place de l'hôtel de ville, qui descend en demi-cercle à la petite Alster, est une particularité architecturale.

Ein Blick mit Weltstadtflair. Fernsehturm und Hotel Plaza markieren Gigantisches, Hamburgs Binnenalster-Boulevard, der Jungfernstieg, strömt einen Hauch von Piazza aus: Mit seinen Lindenreihen, dem Alsterpavillon und den Alsterschiffen. Daneben der Straßenverkehr, und darunter in drei Etagen die Schnellbahnzüge.

The flair of the big city: whilst the Television Tower and Hotel Plaza «scrape the skies», Hamburg's boulevard on the Inner Alster, the Jungfernstieg, radiates an air of piazza with its lime-trees, Alster Pavilion and Alster steamers. Along it, the traffic, and beneath it, three levels of underground railways.

Una vista con aire de ciudad cosmopolita. La torre de la televisión y el Hotel Plaza señalan lo gigantesco; la avenida del Alster interior, Jungfernstieg tiene un aire latino; hileras de tilos, pabellón del Alster, barcos-tranvía. A su lado el tráfico urbano y debajo, en tres pisos, los ferrocarriles rápidos.

Partout scènes d'une ville cosmopolite. La tour de télévision et l'hôtel Plaza se dressent, gigantesques. Du Jungfernstieg, boulevard à l'Alster intérieur, flotte un climat de piazza. Ses allées de tilleuls, le pavillon de l'Alster et les embarcations cotoient le trafic urbain. A trois étages: le métro.

ABC-Straße

Gänsemarkt

Alsterpavillon

Colonnaden

Sonnenuntergang
am Atlantic-Steg
Sunset
at «Atlantic-Steg»
Puesta de sol
junto al embarcadero
del Atlantic
Coucher du soleil
à l'embarcadère «Atlantic»

Bootssteg
an der Straße Alsterufer
Boat jetty
beside Alsterufer Straße
Embarcadero de botes
en la avenida Alsterufer
Passerelle
à la rue Alsterufer

Daß Hamburg, nach Berlin die zweitgrößte Industriestadt Deutschlands, so hohen Freizeitwert besitzt, verdankt es seiner Lage zwischen den Gewässern. Segeln auf der Alster! Gibt es bessere Entspannung?

That Hamburg comes second to Berlin as Germany's largest industrial city and posesses such high leisure values is not least due to its lakes and rivers. For example: sailing on the Alster. What can be more relaxing.

El que Hamburgo, la segunda ciudad industrial de Alemania después de Berlín, ofrezca tánto para el tiempo libre lo debe a su situación interfluvial. Por ejemplo, navegar en el Alster. ¿Hay mejor distracción?

Bien que Hambourg soit après Berlin, la deuxième ville industrielle, elle vous offre grâce à sa situation près des différentes eaux milles distractions. Faire du bateau à voile sur l'Alster, quel délassement!

Hamburg, ein graues Häusermeer im heulenden Seewind, mit ewigem Nieselregen: Das ist die Legende, die sich noch immer bei manchen Leuten gehalten haben soll, deren es, wie Heinrich Heine einmal sagte, «vielleicht in China und Ober-Baiern» gibt. Nun, ich, Ihre Bärenführerin Hammonia, möchte keinem Volksstamm zu nahe treten, denn ich denke schließlich viel zu kosmopolitisch (immerhin ist meine Stadt nach New York der zweitgrößte Konsularplatz der Welt). Ich sage: Nehmen Sie diese Alsterbilder hier als Gegenbeweis!

Hamburg—grey buildings swept by howling winds from the sea, with continuous drizzle: this is the myth which still persists with many people who obviously don't know Hamburg and who might, as Heinrich Heine once said, «perhaps live in China or Upper Bavaria». But I, your trusty guide Hammonia, don't wish to upset any nationality because I am much too cosmopolitan in my outlook (after all, my city comes second to New York for number of consulates). All I would say is this: take these Alster pictures as proof of the contrary!

Hamburgo, un mar de casas grises entre gemidos del viento y eterna llovizna: esta es la leyenda que aun parece vivir entre algunas gentes que, como dijo Heine, existen «quizá en China o en la Baviera Alta». Pero yo, Hammonia, su guía, no quiero molestar a ninguna tribu; para eso soy demasiado cosmopolita (y al fin y al cabo, mi ciudad es, después de Nueva York, la segunda del mundo por el número de consulados). Por mi parte, prefiero decir: ¡contemple estas estampas del Alster, como prueba de lo contrario!.

Il y a encore des gens qui croient à la légende selon laquelle Hambourg serait une marée grise de maisons, exposées au vent impétueux du nord. Il s'agit là sans doute de ces personnes dont Heinrich Heine disait «qu'il en existe encore quelques spécimens en Chine ou bien en Haute-Bavière». Non, moi Hammonia, votre guide, je ne voudrais vexer aucune tribu, je suis finalement trop cosmopolite (après New York, Hambourg est le second centre consulaire du monde). J'espère que ce photos de l'Alster démontreront le contraire.

Rathausmarkt: «Weltverkehr». Prof. Schilling 1903

Kornhausbrücke: Vasco da Gama. Hosäus 1903

Neues Rathaus Altona: Kaiser Wilhelm I. Prof. Eberlein 1898

Beim Millerntor: Bismarck. Lederer und Schaudt 1906

Denkmäler sind Spiegelbilder ihrer Epoche. Von schöner Schlichtheit – wie es seine Gedichte waren – ist das Grabkreuz von Matthias Claudius in Wandsbek. Klopstocks Grabstein ziert eine antike Frauengestalt. Lessing, der Verfasser der «Hamburgischen Dramaturgie», in Dichterpose auf dem Gänsemarkt. Heinrich Heines Bronze-Plakette im Vorgarten des Verlages Hoffmann und Campe. Unter schmiedeeisernem Baldachin die Vierländerin von 1878. Ausdruck unserer Zeit sind die Plastiken, die der Senat seit 1951 durch die Initiative «Kunst am Bau» dem Stadtbild einfügen läßt.

Monuments are mirrors of their age. The cross over the grave of Matthias Claudius in Wandsbek expresses beautiful simplicity—reflecting the nature of his poems. Klopstock's gravestone is ornamented with an antique figure of a women. Lessing, author of «Hamburgische Dramaturgie», is shown in meditative pose at Gänsemarkt. A bronze plaque commemorates Heinrich Heine in the garden of the publishers Hoffmann und Campe. Expressions of our modern times are the sculptures which the Senate has been setting up since 1951 in Hamburg to link building and art more closely.

Hopfenmarkt: Vierländer Brunnen. Mit Sockelinschrift «Am Markt lernt man die Leute kennen». Sandsteinfigur von Engelbert Peiffer 1878

Los monumentos son imágenes de su época. De una hermosa sencillez — como lo eran sus poemas — es la cruz de la tumba de Matthias Claudius en Wandsbek. En la lápida de Klopstock aparece una figura femenina. Lessing, autor de la «Dramaturgia Hamburguesa», posa en la Gänsemarkt. La placa de bronce de Heinrich Heine en el jardín de la editorial Hoffmann und Campe. Bajo un baldaquino de forja, la figura de piedra de una labradora de Vierlande, de 1878. Expresión de nuestro tiempo son las figuras que el Senado ha añadido a la imagen de la ciudad desde 1951.

Chaque monument est un reflet de son époque. La simplicité de la croix sur la tombe de Matthias Claudius à Wandsbek, évoque celle de ses poèmes. La pierre tombale de Klopstock est décorée d'une femme de l'antiquité. La statue de Lessing représente l'auteur de la «Hamburgische Dramaturgie» en pose de poète. Une plaquette en bronze dans le jardin de l'éditeur Hoffmann und Campe rend hommage à Heinrich Heine. Les sculptures associées depuis 1951 à la vue de la ville, dans le cadre de l'action du Sénat, «l'art et l'urbanisme», sont expression de notre temps moderne.

Gänsemarkt: Lessing. Fritz Schaper 1881

Christuskirche Wandsbek: Claudius

Christianskirche Ottensen: Klopstock

Caffamacherreihe, Ecke Speckstraße: Brahms. Egon Lissow 1971

Harvestehuder Weg 41: Heine. Caesar Heinemann 1898

Planten un Blomen: «Aurora». Ursula Querner 1954

Domstraße 18: «Segelmotiv». Prof. Belling 1959

Alsterpark: «Orpheus und Eurydike». Ursula Querner 1958

Kennedy-Brücke/An der Alster: «Rhythmus im Raum». Prof. Bill 1968

Pöseldorfer Weg/Ecke Milchstraße

Pöseldorfer Markt

Meine Stadt ist in letzter Zeit immer heiterer, farbenfroher und mitteilsamer geworden. Manche Impulse hierfür gingen von Pöseldorf aus, jenem Boutiquen- und Kneipen-Quartier in Harvestehude, das den anglophilen Hamburgern auf den Leib geschneidert ist.

My city has become gayer, more colourful and more communicative in recent times. Many impulses have been generated from Pöseldorf, the district of boutiques, art galleries and pubs in Hamburg which is made-to-measure for anglophile Hamburgers.

Mi ciudad se ha vuelto más alegre, colorista y comunicativa. Algunas iniciativas partieron de Pöseldorf, el barrio de Harvestehude de las boutiques, galerías y tabernas, que le va como a la medida a la anglófila ciudad de Hamburgo.

Au cours des dernières années, ma ville est devenue plus sereine, plus colorée et communicative. Cette évolution fut déclenchée au quartier Pöseldorf à Harvestehude dont les boutiques, galeries et bistros sont faits pour le goût anglophile des Hambourgeois.

Pöseldorfer Milieu in der Milchstraße

Eppendorfer Baum

Eingebettet im Grün ihres Parks am Alsterlauf, Eppendorfs hübsche St. Johanniskirche, die noch heute an die dörfliche Vergangenheit dieses Stadtteils erinnert. Städtischer geht es am Eppendorfer Baum zu, idyllisch wiederum ein paar Schritte weiter im Hof bei der Eppendorfer Landstraße. Im Isebekkanal ein Mississippiboot. Eppendorf mit seinen Gründerzeit- und Jugendstilfassaden ist «en vogue», Ort der berühmten Hamburger Jazz-Szene und Dorado der Jugend und aller Junggebliebenen.

On the banks of the Alster stands Eppendorf's picturesque St. John's Church which even today reminds us that this part of Hamburg was once a village. There is more of a big city atmosphere in Eppendorfer Baum, but a few steps further on, an idyllic corner can be found in a courtyard beside Eppendorfer Landstrasse. In Isebek Canal, a Mississippi river boat. Eppendorf is «en vogue», contains many famous jazz clubs and is an El Dorado for young people and the young at heart.

Rodeada del verde de su parque, junto al río Alster, St. Johannis recuerda hoy en Eppendorf la aldea que precedió a este distrito. Más urbano resulta hacia Eppendorfer Baum y más bucólico unos pasos más allá en la Eppendorfer Landstrasse. En el Isebekkanal, un bote del Mississippí. Eppendorf, con sus fachadas de la época fundacional y de fin de siglo, está de moda. Es escenario del jazz hamburgués y el Dorado de la juventud y de los que se mantienen jóvenes.

Entourée des espaces verts la jolie église St. Johannis à Eppendorf révèle ce que fut ce quartier autrefois: un petit village. La rue Eppendorfer Baum a un caractère plus citadin; quelques pas plus loin, étonne déjà le calme d'une cour intérieure à l'Eppendorfer Landstrasse. Sur l'Isebekkanal un bateau à aubes désaffecté. Ce n'est pas uniquement à cause de ses façades fin de siècle qu'Eppendorf est très en vogue et le point de rencontre des jeunes et moins jeunes; il s'y trouve le berceau du jazz hambourgeois.

Eppendorfer Landstraße 4a—6b

Riverboat Isebekkanal

Schloß Ahrensburg von 1595   Ahrensburg Castle built in 1595   El castillo de Ahrensburg de 1595   Le château d'Ahrensburg de 1595

Hamburgs lieblicher Alsterfluß, 56 Kilometer lang, bildet im Norden, diesseits und jenseits der Stadtgrenze, eine malerische, erholsame Landschaft. An Nebenflüssen der Alster sind sehenswert das hamburgische Herrenhaus in Wohldorf und das Renaissanceschloß der Stadt Ahrensburg.

Hamburg's lovely River Alster, 35 miles long, runs through delightful countryside all the way from its source in Schleswig-Holstein to the Elbe in Hamburg. Places of interest on tributaries of the Alster are the country manor at Wohldorf and Ahrensburg castle.

El río Alster, el más apacible de Hamburgo a lo largo de sus 56 kilómetros, forma al Norte, a ambos lados de la frontera urbana, un pintoresco y grato paisaje. En sus afluentes son notables la Herrenhaus de Wohldorf y el palacio renacentista de Ahrensburg.

De part et d'autre des frontières de Hambourg, la vallée de l'Alster, longue de 56 km, est une contrée pittoresque et reposante. Un manoir hambourgeois situé à Wohldorf au bord d'un affluent de l'Alster, et le château d'Ahrensburg en style Renaissance promettent une visite intéressante.

Das Herrenhaus in Wohldorf   Country manor at Wohldorf
La casa patricia de Wohldorf   Le manoir à Wohldorf

Köhlbrandbrücke: Abendstimmung Evening mood Atardecer Au crépuscule

Norderelbbrücken: Sonnenuntergang Sunset Puesta de sol Coucher du soleil

Hamburg ist eine Stadt, die vom Wasser durchflossen wird. Elbe, Bille und das Alsterdelta haben Hamburg den Ruf vom Venedig des Nordens eingebracht. Brücken sind hier das alles Verbindende. Die alten, wie die Lombardsbrücke von 1868, und auch die neueste, die gigantische Köhlbrandbrücke von 1974 mit ihren 130 Meter hohen Pylonen.

Hamburg is a city of canals and rivers. Because of the Elbe, Bille and Alster Delta Hamburg has acquired the reputation of «Venice of the North». Bridges are to be found everywhere: old ones, such as the Lombardsbrücke from 1868 and also the latest one, Köhlbrand Bridge, which was completed in 1974 with its 426-ft. high pylons.

Hamburgo es una ciudad atravesada por vías fluviales. El Elba, el Bille y el delta del Alster han proporcionado a Hamburgo el nombre de Venecia del Norte. Los puentes enlazan la ciudad. Viejos, como los del Elba Norte, el Lombardsbrücke, Adolphsbrücke, y modernos, como el Köhlbrandbrücke, de 1974, con sus pilones de 130 metros.

De nombreux cours d'eau baignent la ville de Hambourg. L'Elbe, la Bille et le delta de l'Alster ont attribué à la ville le surnom «Venise du Nord». Les ponts ont donc une grande signification: les anciens ainsi que les nouveaux: le Lombardsbrücke de 1868 et le Köhlbrandbrücke de 1974 avec des pylônes d'une hauteur de 130 metres.

Domstraße: Altes Brückengeländer
Old bridge parapet Vieja barandilla del puente
Vieux parapet d'un pont

Lombardsbrücke

Reesendammbrücke

Alsterpark

Stahl, Beton und Glas formen das neue Hamburg. Gewaltig türmen sich das Einkaufszentrum Hamburger Straße und die Bürohäuser der City Nord auf. Neue Dimensionen. Allein elf der fünfzig größten deutschen Industriefirmen haben ihre Zentralen in meiner Stadt.

Steel, concrete and glass form the new Hamburg. The Hamburger Strasse shopping centre and the City Nord office blocks soar skywards. New dimensions. Already eleven of the fifty largest firms in West Germany have their head offices in Hamburg.

Acero, cemento y cristal configuran al nuevo Hamburgo. El centro comercial de la Hamburger Strasse y los edificios de oficinas de la City Nord se alzan de un modo impresionante. Nuevas dimensiones. Once de las cincuenta empresas alemanas mayores tienen su sede en mi ciudad.

L'acier, le beton et le verre ont transformé la physionomie de Hambourg. Des édifices grandioses ont été construits; le centre d'achat Hamburger Strasse et les bureaux de City Nord. De nouvelles dimensions. Onze des cinquante plus grandes firmes industrielles de la République fédérale d'Allemagne ont installé leurs sièges principaux à Hambourg.

City Nord

City Nord: Hochhaus «Hamburgische Electricitäts-Werke AG»

Othmarschen: Neues Krankenhaus | Alsenplatz/Langenfelder Straße

Osdorfer Born

Es gibt kaum Ballungszentren auf der Erde, die eine humanere Umwelt als meine Stadt besitzen. Hamburg-Besucher aus aller Herren Ländern bestätigen dies immer wieder mit Erstaunen, und ich, die Urhamburgerin Hammonia, freue mich über solches Lob! Hamburg, eine Metropole im Grünen: sieben Prozent des Stadtgebietes sind Parks und Wälder, über acht Prozent Gewässer. Moderne Siedlungen bieten gesundes Wohnen, Alt-Hamburg mehr den Hauch von Tradition.

There is hardly any other conurbation in the world which has a more humane environment than my city. Visitors to Hamburg constantly confirm this with amazement and I, the original inhabitant of this city, Hammonia, am glad to hear such praise. Hamburg, a metropolis in green surroundings: seven per cent of its area consists of parks and woodlands, more than eight per cent, of water. Modern housing and the atmosphere of Old Hamburg ensure a high quality of life.

Hay pocos núcleos urbanos en el mundo con un ambiente más humano que mi ciudad. Visitantes de todos los países lo confirman una y otra vez con asombro, y yo, Hammonia, la hamburguesa de pura cepa, me siento feliz con esta alabanza. Hamburgo, una metrópoli en verde: el siete por ciento de la zona urbana son parques y bosques; más del ocho por ciento, ríos y lagos. Urbanizaciones modernas y los barrios antiguos ofrecen un sentimiento de la vida urbana.

Rares sont les agglomérations qui possèdent un environnement plus humain que Hambourg. Les visiteurs de Hambourg qui viennent de tous les coins du monde le constatent avec étonnement et moi, Hammonia, Hambourgeoise par excellence, je suis heureuse de ce compliment. Hambourg, une métropole en pleine verdure: les parcs et bois occupent sept pourcent de sa surface. Les résidences modernes offrent une vie aérée, les vieux quartiers une vie grouillante.

Bäckerbreitergang: Welt von einst Dwellings in bygone days El mundillo de vecinos de otro tiempo L'habitat d'autrefois

Krayenkamp: Idyll in den Krameramtswohnungen

Peterstraße: Barocke Giebel

Beylingstift in der Peterstraße

Beylingstift: Barockportal

Wenig ist vom alten Hamburg geblieben. Es wird gehütet und restauriert. So, nahe dem Michel, die Krameramtswohnungen von 1670 und in der Peterstraße das Beylingstift von 1751, wo auch für den großen Sohn meiner Stadt, Johannes Brahms, eine Gedenkstätte ist.

Little is left of Old Hamburg, but what remains is carefully looked after and restored. Near the «Michel», for instance, the Merchants' Guild house from 1670, and in Peterstrasse, the Beyling Home from 1751, where a memorial to a famous son of my city, Johannes Brahms, can be found.

Poco ha quedado del viejo Hamburgo. Se conserva y restaura. Cerca del Michel, por ejemplo, las viviendas del Krameramt de 1670 y, en la Peterstrasse, la Beylingstift de 1751, donde se conmemora a Johannes Brahms, hijo predilecto de mi ciudad.

Peu est resté du vieux Hambourg. Mais celui-ci est soigneusement restauré. Dans ce cadre, je cite les Krameramtswohnungen de 1670, près de l'église St. Michel et, dans la Peterstraße, la fondation Beyling de 1751 où l'on se souvient de Johannes Brahms, fils célèbre de ma ville.

Krameramtswohnungen: Abendstimmung
Evening atmosphere   Ambiente de atardecer   Au crépuscule

An Hamburgs Urhafen von 1189, am Nikolaifleet, stehen noch einige wenige Kaufmannshäuser der Deichstraße aus dem 17. Jahrhundert: sie vereinigten einst Wohnung, Kontor und Speicher unter einem Dach. Die schöne Hausdiele, abgebildet auf Seite 16, stammt aus der Deichstraße. Hamburgs Bürger haben große Anstrengungen für die Erhaltung dieser letzten alten Außendeichhäuser unternommen.

A number of 17th century merchant houses still stand at Nikolaifleet, Hamburg's original harbour which dates back to 1189: they used to contain living quarters, office and warehouse all under one roof. This beautiful hallway, illustrated on page 16, comes from the Deichstrasse. The people of Hamburg have made great efforts to preserve this last row of old houses.

Junto al primitivo puerto de Hamburgo de 1189 en el Nikoaifleet hay todavía algunas casas de comerciantes del XVII en la Deichstrasse: hogar, oficina y almacén estaban bajo un mismo techo. El bello portal de la página 16 procede de la Deichstrasse. Los ciudadanos hamburgueses han hecho grandes esfuerzos para poder conservar esta última fila de casas antiguas.

Au Nikolaifleet, en 1189 site du port primitif de Hambourg, s'élèvent encore quelques maisons de commerçant construites au 17ème siècle. Sous le même toit elles réunissaient le logement, le comptoir et les entrepôts. Le hall remarquable, qui figure sur la page 16, provient de la Deichstraße. Les habitants de Hamburg ont fait de grands efforts pour entretenir cette dernière rangée d'anciennes maisons.

Ost-West-Straße: Straßentunnel beim Deichtorplatz   Tunnel at Deichtorplatz   Túnel en Deichtorplatz   Tunnel au Deichtorplatz

Größte Anstrengungen haben die Hamburger nach dem Zweiten Weltkrieg machen müssen. In 213 Bombenangriffen war die Stadt zur Hälfte zerstört worden. In der City waren so viele Freiräume entstanden, daß die lange geplante Ost-West-Straße gebaut werden konnte.

After the Second World War the citizens of Hamburg had a hard job on hand. Half of the city had been destroyed in the course of 213 air raids. There was so much open space in the area south of the city centre that the long-planned Ost-West-Strasse could be built.

Los hamburgueses tuvieron que realizar grandes esfuerzos tras la segunda guerra mundial. La mitad de la ciudad quedó destruida después de 213 bombardeos. En la City se construyó la avenida, desde tanto tiempo proyectada, Ost-West-Strasse.

Après la deuxième guerre mondiale, les Hambourgeois ont dû faire de leur mieux. Au cours de 213 bombardements, la ville fut à moitié détruite. Au sud du centre, un vaste terrain offra ainsi de la place pour la construction de l'artère Ost-West-Strasse.

Ost-West-Straße: Abendliche Rush hour   Evening rush hour
Hora punta en la circulación vespertina   L'heure de pointe

Die Esplanade im Herbst   The Esplanade in autumn   Esplanade en Otoño   L'Esplanade en automne

Nach der Ost-West-Straße spielt der Wallring für Hamburgs Autoverkehr eine wichtige Rolle. Der Wallring verläuft auf der Innenseite der ehemaligen Stadtwälle um den historischen Stadtkern herum. Wo sich Dammtorstraße und der Straßenzug Gorch-Fock-Wall/Esplanade treffen, ist der Stephansplatz Brennpunkt im Verkehr. Die Esplanade, wo jetzt zwei Hochhäuser stehen, war 1830 Hamburgs erste nach Plan angelegte Straße.

After Ost-West-Strasse the Wallring is an artery for Hamburg's traffic. This runs on the inside of the former city walls describing a half circle round the historical centre of Hamburg. An important crossing is Stephansplatz where Dammtorstrasse cuts across the Gorch-Fock-Wall and Esplanade. Esplanade, where two modern office blocks now stand, dates back to 1830 when it was the first street in Hamburg to be built according to plan, and this in classicist style.

Tras la avenida Ost-West-Strasse juega un importante papel para el tráfico de Hamburgo el Wallring. Discurre por el lado interior de la antigua fortificación de la ciudad en torno a su núcleo histórico. Centro neurálgico del tráfico es Stephansplatz, donde se unen Dammtorstrasse y la arteria Gorch-Fock-Wall/Esplanade. La Esplanade, con sus dos grandes edificios, en 1830 fue la primera calle de Hamburgo planificada.

Avec l'Ost-West-Strasse, le Wallring joue, dans la circulation automobile, un rôle important. Le Wallring passe le long de l'ancien rempart autour du vieux centre historique. Là, où se joignent les rues Dammtorstrasse et Gorch-Fock-Wall/Esplanade, se trouve le carrefour Stephansplatz. L'Esplanade, où s'élèvent aujourd'hui deux grands buildings, est la première rue de Hambourg qui, en 1830, fut crée suivant un plan conçu d'avance.

Blick vom Stephansplatz in die Esplanade
View of the Esplanade from Stephansplatz   Vista de Esplanade desde la Stephansplatz   Vue de Stephansplatz vers l'Esplanade

Herbststimmung beim Bismarck-Denkmal Autumn around the Bismarck Monument Ambiente de Otoño junto al monumento a Bismarck Le monument de Bismarck en automne

Meine Stadt, lieber Hamburg-Freund, überrascht immer wieder durch ihre Kontraste. Standen Sie eben noch im Verkehrsgetöse des Stephansplatzes, so brauchen Sie nur ein paar Schritte in den angrenzenden Botanischen Garten zu tun, und Sie sind in einer seltsam stillen Welt. Durch das goldene Herbstlaub sehen Sie die schimmernde Kuppel der Oberpostdirektion am Stephansplatz mit dem vergoldeten Merkur. Traum oder Wirklichkeit?

My city, dear Friend, constantly surprises with its contrasts. Listen to the roar of traffic at Stephansplatz and then walk a few yards into the neighbouring Botanical Garden and you will find yourself in a strangely peaceful world. Look through the golden autumn leaves at the cupola of the Head Post Office at Stephansplatz with its gilded figure of Mercury. Dream or reality?

Mi ciudad, querido amigo de Hamburgo, sorprende cada vez por sus contrastes. Si estaba en medio del tráfago de Stephansplatz, sólo necesita dar unos pasos para entrar en el mundo increíblemente tranquilo del Jardín Botánico. A través del dorado follaje otoñal puede contemplar la cúpula de la Central de Correos, en Stephansplatz, con la dorada figura de Mercurio. ¿Sueño o realidad?

Hambourg, cher visiteur, surprend toujours à nouveau par ses contrastes. Fuyez le vacarme des voitures au Stephansplatz car vous n'avez que quelques pas à faire pour entrer au jardin botanique, un monde étrange et silencieux. A travers le feuillage d'automne étincèle la coupole et la statue dorée du Mercure de la Direction générale des postes. Rêve ou réalité?

Hamburg — ein Wintermärchen. Rauhreif hat die Bäume im Botanischen Garten überzuckert. Der Großstadtlärm klingt gedämpft herüber. Die Welt in Watte. Ein Spazierweg entlang dem gewinkelten Teich, der das letzte Überbleibsel von Hamburgs früherem Stadtgraben ist. Die Binnenalster erglänzt im Gegenlicht der matten Wintersonne, und ganz draußen, am Ufer des Alsterparks, halten die in Bronze erstarrten beiden Kinder ihre Drachen in die Luft.

Hamburg — a winter's tale. The trees in the Botanical Garden coated with hoar frost, the noise of the traffic muffled: a world in cotton wool. The walk along the old wall which once formed part of the city's fortifications. The Inner Alster gleams in the diffused light of the winter sun and further up the lake, on the bank of Alster Park, the two bronze-cast children fly their kites.

Hamburgo — una leyenda invernal. La escarcha cubre los árboles en el Jardín Botánico. El ruido de la ciudad suena amortiguado. Un mundo de algodón. Un sendero a lo largo del serpenteante estanque, última huella del foso de la ciudad. El Alster interior brilla en el contraluz del pálido sol invernal y, fuera, a orillas del parque del Alster, los dos niños sostienen, como petrificados en bronce, su cometa en el aire.

Hambourg — un conte d'hiver. Les abres du jardin botanique sont saupoudrés de givre. Le bruit da la ville est assourdi. Un monde adouci. Une promenade autour de l'étang, reste de l'ancien fossé de la ville. La Binnenalster étincèle au contre-jour du soleil pâle d'hiver. Et loin, dans le parc de l'Alster, des enfants en bronze tiennent leurs cerfs-volants figés dans l'air.

Alsterpark: «Steigende Drachen». Gerhard Brandes 1962

Jungfernstieg mit Rathaus und Michel
Jungfernstieg with City Hall and the «Michel»
El Jungfernstieg con el Ayuntamiento y el Michel
Jungfernstieg, l'hôtel de ville et le «Michel»

Am Neuen Jungfernstieg

Ausgerechnet der November kann meiner Stadt wahre Farborgien bescheren. Sehen Sie selbst die Faszination von Orange bis Violett. Und welche Poesie, wenn Hamburgs Türme im Dunst verschwimmen oder sich der Neue Jungfernstieg im Wasser spiegelt. Verzeihen Sie Ihrer alten Dame Hammonia, wenn sie hierbei ins Schwärmen gerät.

November, of all months can bestow veritable orgies of colour on my city. See for yourself the fascinating hues ranging from orange to violet. And it is sheer poetry when Hamburg's spires melt into the haze or the reflections of the Neuer Jungfernstieg dance in the water. Forgive your old lady Hammonia if she gets carried away here.

Precisamente Noviembre puede obsequiar a mi ciudad con orgías de color. Vea la fascinación del naranja al violeta. Y qué poesía cuando las torres de Hamburgo desaparecen en la neblina o el Neuer Jungfernstieg se refleja en el agua. Disculpe a la vieja Hammonia si al llegar este momento se vuelve un poco sentimental.

C'est au mois de novembre que ma ville pavane les plus belles nuances, allant de la fascination de l'orange au violet. Quelle poésie d'une saison quand les contours des grands bâtiments s'effacent dans le brouillard et le Neuer Jungfernstieg se reflète dans l'eau. Excusez l'exaltation d'une dame agée.

St. Michaelis

Neuer Jungfernstieg:
Amsinck-Palais, erbaut 1833   Amsinck House from 1833
El Palacio Amsinck de 1833   Amsinck-Palais de 1833

76

St. Michaeliskirche

Zuweilen schießt das Wetter in Hamburg Kapriolen. Da passiert es, daß die Forsythien blühen, aber der Winter nochmal kurz mit Schnee zurückkommt. Dann gibt es Bilder, wie diese hier vom Michel und Altonas Hauptkirche St. Trinitatis. Übrigens: Ernst Georg Sonnin, der Erbauer des Michels, soll stets den Hut gezogen haben, wenn er an Cai Doses Trinitatis-Kirchturm vorbeikam.

Sometimes the weather in Hamburg plays tricks. It can happen that the broom is already in bloom when winter returns once more with snow. Such a scene is this which shows the «Michel» and Altona's church, St. Trinitatis. By the way it is said that Ernst Georg Sonnin, architect of the «Michel», always raised his hat when passing Cai Dose's Trinitatis church tower.

A veces el tiempo hace cabriolas en Hamburgo. Ocurre que empieza a florecer pero vuelve el invierno con nieve. Entonces se producen estampas como ésta del Michel y de la iglesia principal de Altona, St. Trinitatis. Por cierto que, Ernst Georg Sonnin, el arquitecto del Michel, se quitaba el sombrero cada vez que pasaba por delante de la torre de St. Trinitatis.

Parfois, le temps hambourgeois est capricieux. Il arrive alors que les forsythias fleurissent avant que l'hiver ne s'en soit allé. Ces photos de St. Michaelis et de l'église d'Altona, St. Trinitatis, en sont la preuve. On dit que le bâtisseur de St. Michel, Ernst Georg Sonnin, tirait son chapeau à chaque fois où il passait davant le clocher de St. Trinitatis bâti par Cai Dose.

St. Trinitatis Altona

Fischverkauf an den Pontons der Elbe   Fish sales at the pontoons in the Elbe   Venta de pescado en los pontones del Elba
Vente de poissons devant les pontons de l'Elbe

St. Pauli Fischmarkt

St. Trinitatis' schöner Kirchenbau von 1744, nach dem letzten Krieg wiederaufgebaut, gibt die Kulisse ab zu einem Treiben, das allsonntäglich ab fünf Uhr morgens für Frühaufsteher und St.-Pauli-Bummler stattfindet: Altonaer Fischmarkt. Frischen Fisch können Sie hier direkt vom Ewer kaufen; überhaupt alles, was kreucht und fleucht oder seinen Besitzer wechseln soll.

The church of St. Trinitatis, which dates back to 1744 and was rebuilt after the last war, provides the backcloth for a busy scene which comes to life every Sunday morning at five o'clock attracting early risers: the Altona Fish Market. Naturally, you can buy fresh fish here direct from the smack, but also everything else that crawls or flies or is intended to change ownership.

La bella iglesia de St. Trinitatis, construida en 1744 y reconstruida después de la última guerra, es el escenario del trajín de cada domingo a las cinco de la mañana entre madrugadores y trasnochadores de St. Pauli: el mercado del pescado de Altona. Pescado fresco, comprado en las mismas barcas, y además todo lo imaginable que pueda comprarse y venderse.

St. Trinitatis veille tous les dimanches, à partir de cinq heures du matin sur l'activité du marché aux poissons d'Altona, rendez-vous des gens matinaux et ceux qui ont fait une vadrouille à St. Pauli. Le poisson frais est vendu à bord des chalutiers. D'ailleurs «tout ce qui vole et tout ce qui rampe», toutes sortes d'animaux, toutes sortes d'objets sont mis en vente ici.

Altona, ursprünglich eine Fischersiedlung des 16. Jahrhunderts und Hamburg «allzu nahe» (Plattdeutsch: all to nah), ist 1937 als selbständige Stadt in das Gebiet Groß-Hamburgs aufgegangen. Das Neue Rathaus, jetzt nur noch Bezirksamt, ist 1898 im Renaissancegeschmack der Zeit errichtet und mit einem Kaiser-Wilhelm-Denkmal dekoriert worden. Die Palmaille war 1786 bis 1825 mit edlen klassizistischen Palais bebaut worden, deren Reihe der letzte Krieg lichtete.

Altona, originally a fishing settlement from the 16th century and for Hamburg, «all to nah» (Low German = «all too near»), joined Greater Hamburg in 1937 as an independent township. The Town Hall, now used as a district office, was built in 1898 in Renaissance style and embellished with a statue of Kaiser Wilhelm. Altona's most elegant avenue, the Palmaille, was lined with noble buildings in classicist style 1786–1825. Most of these were destroyed during the last war.

Altona, originariamente una colonia de pescadores del XVI, próxima a Hamburgo (en Bajo Alemán, llamada «all to nah», demasiado cerca), formó parte del Gran Hamburgo en 1937. El Nuevo Ayuntamiento, hoy sólo Tenencia de Alcaldía, se construyó en 1898 según el gusto renacentista de la época, decorándolo con un monumento al Emperador Guillermo de Prusia. La avenida Palmaille de Altona fue ennoblecida entre 1786 y 1825 con palacios neoclásicos, en parte destruidos en la última guerra.

Altona, à l'origine un village de pêcheurs, fondé au 16ème siècle, est situé comme l'indique son éthymologie «all to nah» (en patois: trop près), près Hambourg et est devenu en 1937 partie intégrante de la ville de Hambourg. Le «Nouvel Hôtel de Ville», construit en 1898, est flanqué d'une statue de l'empereur Guillaume, son style Renaissance incarne le goût de l'époque. Le long de la Palmaille furent érigés entre 1786 et 1825 d'élégants palais néo-classiques, décimés à la guerre.

Platz der Republik in Altona: Neues Rathaus

Palmaille 35: Altona modern

Palmaille 116: Altona klassizistisch

Övelgönne: Häuser am Elbstrom   Romantic houses on the Elbe   Casas románticas junto al Elba   Maisons romantiques au bord de l'Elbe

Zugegeben, mir, der alten Hammonia, sind Anno 1937 kraft Groß-Hamburg-Gesetzes nicht die schlechtesten Territorien zugefallen. Die preußischen Städte Wandsbek im Osten und Harburg im Süden, und dann im Westen Altona samt seinen Elbvororten. Die landschaftlich am Schiffahrtsstrom unvergleichlich schön gelegenen Elbvororte sollten Sie sich erwandern, zwölf Kilometer lang ist der Elbwanderweg bis Blankenese. Sie treffen die malerische alte Lotsensiedlung Övelgönne, den «Halbmond» in Othmarschen, und kosten Hamburgs großbürgerliche Wohnkultur im Jenisch-Haus.

Agreed, in 1937, by virtue of the Greater Hamburg Act, they were not the worst areas which I, old Hammonia, came to acquire. The Prussian towns of Wandsbek in the east and Harburg in the south and then, in the west, Altona. You should walk through the beautiful scenery of the Elbe suburbs where you will have a fine view of the river. The path along the Elbe to Blankenese is 7½ miles long. It passes through the old river pilots' settlement at Övelgönne, the «Half-Moon», a famous feature of Othmarschen, and leads you to Jenisch House, where Hamburg upper-class style of living in the last century is shown.

Elbchaussee 228: Der «Halbmond»   The «Half-Moon»
El «Halbmond»   La «demi-lune»

Außenstelle des Altonaer Museums: Das Jenisch-Haus von 1834   Jenisch House from 1834   La Casa Jenisch de 1834   Le Jenisch-Haus de 1834

Es cierto, según la ley del Gran Hamburgo de 1937, a mí, la vieja Hammonia, no me correspondieron los peores territorios. Las ciudades prusianas de Wandsbek, al Este, y Harburg, al Sur, y luego, al Oeste Altona con los aledaños del Elba. Le recomiendo pasar por esta avenida del Elba, que mide doce kilómetros hasta Blankenese, por ofrecer un paisaje de incomparable belleza. Encontrará la vieja y pintoresca colonia de prácticos de puerto de Övelgönne, luego Halbmond, en Othmarschen, y disfrutará la alta cultura del hogar de los patricios hamburgueses en la Jenisch-Haus.

Moi, digne Hammonia, j'avoue que la loi de 1937 sur l'intégration des territoires m'a bien arrangée. Les villes prussiennes comme à l'est Wandsbek, au sud Harburg et à l'ouest Altona devenaient ainsi parties de mon territoire. Faites une excursion pour connaître les foubourgs situés au bord du fleuve dans un paysage incomparable. Empruntez la promenade le long de l'Elbe qui s'achève après 12 km à Blankenese. Vous traverserez le village pittoresque «Övelgönne» autrefois habité par les pilotes, vous verrez la «demi-lune» et visitez la Jenisch-Haus illustrant la vie et l'habitat des grands-bourgeois de Hambourg.

Jenischhaus: Voght-Jenisch-Zimmer   Voght-Jenisch Room
Habitación de Voght-Jenisch   La chambre Voght-Jenisch

Blankeneser Hauptstraße:
Blick zum Süllberg-Restaurant
Looking towards Süllberg Restaurant
Vista hacia el restaurante Süllberg
Vue vers le Süllberg-Restaurant

Sie dachten, Hamburg sei flach wie der Deckel einer Schiffsluke? Hier wäre wieder einmal eine Korrektur anzubringen. Hamburg hat richtige Berge! Der schönste erhebt sich immerhin stattliche 85 Meter über die Elbe: der Süllberg in Blankenese. Seine labyrinthischen Treppen und Terrassen staffeln sich malerisch aufwärts und gipfeln in einem Aussichtsrestaurant. Dort oben haben Sie einen Logenplatz, schauen hinab auf das Häusergewirr des ehemaligen Fischerdorfes und verfolgen das Kommen und Gehen der dicken Pötte.

So you thought Hamburg was as flat as a pancake? Again it is necessary to correct you. Hamburg has real hills! The most beautiful rises a majestic 280 ft above the Elbe: the Süllberg in Blankenese. A maze of steps and terraces climb up its slopes finally culminating in a restaurant at the top. Up there you have a seat in the «gods» whence you can look down across a sea of houses of the former fishing village and watch the ships sailing past on the river below.

¿Pensaba Vd. que Hamburgo era plano como la escotilla de un barco? Aquí conviene hacer una rectificación. Hamburgo tiene verdaderas montañas. La más alta se eleva a 85 metros sobre el Elba: el Süllberg, en Blankenese. Su laberinto de escaleras y terrazas asciende pintorescamente y culmina en un restaurante panorámico. Desde allí dispone de un palco para contemplar el dédalo de casas de la antigua aldea de pescadores, mientras sigue con la vista el ir y venir de los barcos.

Vous pensiez que Hambourg était plat comme une assiette? Détrompez-vous. Hambourg a une véritable montagne. Son mont le plus haut, s'élève à 85 m au-dessus du niveau de l'Elbe. Il s'agit du Süllberg à Blankenese. Ses escaliers et terrasses formant un ensemble pittoresque, montent vers un restaurant panoramique. Ce site vous offre une vue merveilleuse sur le labyrinthe des maisons de l'ancien village de pêcheur et vous permet d'observer l'arrivée et le départ des gros navires.

Süllberg: Garten-Terrasse   Garden terrace   Terraza-jardín   Terrasse d'un jardin

Stille Bilder von der Niederelbe, wo sie am schönsten ist. In Blankenese. Eben noch erlebten Sie den glasklaren Wintertag am Süllberg; Eisschollen treiben vorüber im Strom der Gezeiten. Jetzt ein verträumter Ausblick durch einen von Schiffslaternen flankierten Garteneingang am Strandweg, hinaus auf die Elbe, wo sich nur schemenhaft im Dunst ein Dreimaster abzeichnet. Dann Sonnenuntergang. Welche Farbpalette hält doch diese Elblandschaft mit ihrem weiten Horizont bereit.

Scenes of the Lower Elbe where it is most beautiful. At Blankenese. You have just seen Süllberg on a crisp winter's day with ice-floes drifting on the river. Now, by contrast, a serene view of the Elbe through a garden-gate surmounted by ship's lanterns. The faint outline of a three-master can just be made out in the haze. Then sunset. What a range of colours these Elbe land scapes contain with their distant horizons!

Suaves estampas del Elba en su punto más bello: Blankenese. Acaba de conocer un claro día de invierno en Süllberg. Los témpanos de hielo son arrastrados por la corriente de las mareas. Ahora, una vista a través de la entrada flanqueada de linternas de barco del jardín junto a Strandweg, hacia el Elba, donde se perfila esquemáticamente en la neblina un bergantín. Luego la puesta de sol. Qué paleta de colores presenta este paisaje del Elba con su amplio horizonte.

Images paisibles de l'Elbe Inférieure. C'est à Blankenese où elle est la plus plaisante. Les impressions d'un jour clair d'hiver au Süllberg, les frissons ressentis au vu du fleuve couvert de glace, sont succédées par une scène romantique. Du Strandweg, à travers une clôture flanquée de lanternes éclairées, le regard se dirige vers l'Elbe, où dans la brume se dessine la silhouette d'un trois-mâts. Puis, le soleil se couche. Quelle richesse de couleurs nous offre cette contrée sous un espace infini.

Nikolaifleet

Beim Michel

Am Holstenwall

An der Außenalster

«Hummel-Hummel» sollten Sie rufen, wo immer Sie auf der Welt einen Hamburger zu treffen vermuten. Ist er wirklich ein solcher, dann wird er Ihnen mit lautstarkem «Mors-Mors» die Antwort nicht verweigern. Hummel, das war der Neckname des Wasserträgers Johann Wilhelm Bentz, der von 1787 bis 1854 gelebt hat und Hamburgs berühmtestes Original gewesen ist. Die Straßenjugend pflegte ihn stets «Hummel-Hummel» zu rufen; er revanchierte sich dann mit lautem «Mors-Mors», wobei er zuweilen auf sein Hinterteil wies, was dem des Plattdeutschen Unkundigen Übersetzung genug sein sollte. Hamburgs Kinder heute? Sie können sich mit netteren Spielen vergnügen.

A jocular way to greet a person from Hamburg is to say «Hummel-Hummel». If he is a real Hamburger, his answer will be a loud «Mors-Mors». For Hummel was the nickname given to the water-carrier, Johann Wilhelm Bentz, who lived from 1787 to 1854 and was Hamburg's most famous old character. The children always used to tease him by calling him «Hummel-Hummel» whenever they saw him, and he would get his own back by replying «Mors-Mors» and indicating his posterior, just in case there was any misunderstanding about this Low German expression. And the children in Hamburg today? They can find better ways of amusing themselves.

90

Rademachergang: Hummel-Brunnen von Richard Kuoehl 1938

«Hummel, Hummel» debe exclamar en cualquier parte del mundo donde suponga haber encontrado un hamburgués. Si lo es, no dejará de responder un potente «Mors, Mors». Hummel era el mote del aguador Johann Wilhelm Bentz, que vivió de 1787 a 1854 y es el tipo original hamburgués más famoso. Los chiquillos de la calle acostumbraban gritarle siempre: «¡Hummel, Hummel!», a lo que el replicaba entonces con un fuerte: «¡Mors, Mors!», señalando al mismo tiempo muchas veces su trasero, lo que explica suficientemente el significado de la palabra del Bajo Alemán. ¿Y qué hacen hoy los niños hamburgueses?. Divertirse con distracciones más simpáticas.

Partout sur le globe, ou vous croyez rencontrer un Hambourgeois, exclamez «Hummel-Hummel». Le vrai Hambourgeois vous répondra à haute voix «Mors-Mors». Hummel était le surnom du porteur-d'eau, Johann Wilhelm Bentz, le personnage le plus original de Hambourg qui vivait de 1787 jusqu'à 1854. A peine était-il apparu dans la rue que les gamins crièrent derrière lui: Hummel-Hummel; en revanche il répondit par «Mors-Mors» en montrant son postérieur. Ce geste traduisa à ceux qui ne comprenaient pas le patois local, le sens de sa réponse: Et les enfants d'aujourd'hui? Hambourg leur offre bien d'autres possibilités d'amusement.

Hamburg hat 365 Tage im Jahr Saison. An irgendwelchen Ereignissen können Sie hier immer teilnehmen: am Sport, am Theater, an der Musik, der bildenden Kunst und an Volksvergnügen. Alljährlich Anfang Juli findet in Horn das Deutsche Derby statt. Am 7. Mai feiern die Hamburger Barbarossas Freibrief von 1189 als Hafengeburtstag, und auf dem Heiligengeistfeld vor Ostern Frühlingsmarkt, Anfang Juli Hummelfest und im November den berühmten Dom.

Hamburg has a 365-day season in the year. There is always something on: sporting events, concerts, theatre, art displays, local festivals . . . The German Derby takes place at Horn every year at the beginning of July. The 7th May is anniversary day for the port when Barbarossa's charter of 1189 is celebrated. Annual fun fairs which take place in Hamburg on Heiligengeistfeld are the Frühlingsmarkt around Easter-time, the Hummelfest at the beginning of July and the world-famous Hamburger Dom in November.

En Hamburgo dura la temporada 365 días. Siempre pasa algo: deporte, música, artes plásticas, teatro, fiestas populares. Todos los años a principios de Julio se celebra en Horn el Derby alemán. El 7 de Mayo conmemoran los hamburgueses la Carta Magna de Barbarroja de 1189 como cumpleaños del puerto, y en el Heiligengeistfeld tiene lugar antes de Pascua el Mercado de Primavera, a principios de Julio, la Hummelfest y en Noviembre, la famosa verbena llamada «Hamburger Dom».

La saison de Hambourg compte 365 jours. Que ce soit dans le domaine du sport, de la musique, du théâtre et des arts, vous trouverez toujours un divertissement à votre goût. Tous les ans, au début du mois de juillet a lieu le Derby allemand. Le sept mai on fête l'anniversaire du port, jour de l'obtention de la lettre de franchise de Barberousse. Trois fois à l'an se déroule au Heiligengeistfeld une foire populaire: avant Pacques c'est le Frühlingsmarkt, en juillet le Hummelfest et en novembre le Hamburger Dom.

Deutsches Derby in Horn

Hummelfest

7. Mai: Hafengeburtstag

Hagenbecks Tierpark in Stellingen wirkt seit Generationen auf Jung und Alt magnetisch. Delphinarium und Troparium sind hier die ganz großen Attraktionen, aber nach wie vor auch die vielen Tiere, die in freier Wildbahn beobachtet werden können. Carl Hagenbeck (1844—1913) hatte 1907 als erster in der Welt die Idee verwirklicht, Tiere in gitterlosen Freigehegen zu zeigen. Vor der Kulisse des künstlichen Hochgebirges die Wasservögel, und auf der Japanischen Insel schlägt ein Pfau sein farbenprächtiges Rad.

Hagenbeck's Zoo in Stellingen acts as a magnet for young and old alike. The dolphin pool and troparium are the big attractions here, but also the many animals which can be seen roaming around in the open. Carl Hagenbeck (1844—1913) was the first man in the world to show animals in compounds instead of cages. Against a background of artificial mountains we see a group of water-birds, whilst on the Japanese island a peacock spreads its magnificent plumage.

El Zoológico de Hagenbeck en Stellingen magnetiza desde generaciones a jóvenes y viejos. El parque de delfines y el tropical son sus mayores atracciones, así como los muchos animales que pueden observarse en libertad. Carl Hagenbeck (1844—1913) realizó en 1907 por primera vez en el mundo la idea de presentar animales sin jaula. Ante el escenario de un monte artificial aparecen las aves acuáticas, mientras un pavo abre la cola sobre una isla japonesa.

Depuis des années, Hagenbecks Tierpark attire des visiteurs de tous les ages. Parmi les attractions compte le Delphinarium et le Troparium et bien-sûr les animaux qui dans ce jardin zoologique se tiennent dans leur cadre naturel, sur des espaces séparés des visiteurs que par des fossés. Cette idée fut réalisée en 1907 par Carl Hagenbeck (1844—1913). Devant la coulisse d'une montagne artificielle vous remarquerez des oiseaux aquatiques et sur un îlot un paon qui fait la roue.

Wasserlichtorgel   The «water ballet» fountains   Organo de luz y agua   Orgue aquatique

Immer wieder dieses viele Grün in Hamburg! Am Rande der City der Erholungs- und Vergnügungspark Planten un Blomen, der seinen Namen «Pflanzen und Blumen» zu recht trägt. Aus 124 Meter Hohe, aus der unteren Scheibe des insgesamt 271,5 Meter hohen Heinrich-Hertz-Turmes, geht der Blick über den Park und den See mit seiner Lichtorgel. Der Schatten des Turmes trifft genau auf das «Congress Centrum Hamburg». Seit 1973 bietet das CCH den festlichen Rahmen für nationale und internationale Großveranstaltungen. Siebeneinhalbtausend Menschen finden Platz in sechzehn Sälen. Kongreßstadt Hamburg.

One always comes across plenty of trees and parks in Hamburg. In the centre of the city is Planten un Blomen Park, the name of which is derived from the Low German for plants and flowers. From the platform high up in the 890-ft Heinrich Hertz Television Tower one has a splendid view of the park and its lake with illuminated fountains. The shadow of the tower reaches as far as the Hamburg Congress Centre. Since its completion in 1973, this building has afforded appropriate facilities for major national and international events. Its 16 rooms have seating for 7,500 people. Congress City Hamburg.

¡Por dónde se mire domina el verde en Hamburgo! En su mismo casco, el parque Planten un Blomen, que ostenta con razón su nombre «Plantas y Flores». Desde los 124 m. de altura de la plataforma inferior de la torre Heinrich-Hertz, de 271,5 metros, la vista se extiende sobre el parque y el estanque con su órgano de luz. La sombra de la torre llega exactamente hasta el Congress Centrum Hamburg, que desde 1973 ofrece el marco adecuado para importantes actos nacionales e internacionales. Siete mil quinientas personas tienen cabida en sus dieciséis salones. Hamburgo, ciudad de congresos.

Et encore des espaces verts. Contigu à la cité est situé le parc de récréation Planten un Blomen qui porte son nom «plantes et fleurs» à juste titre. De la plate-forme inférieure, à une hauteur de 124 m, de la tour de télévision, dont la hauteur totale est de 271,5 m, le regard se dirige vers le parc, le lac et l'orgue aquatique. Juste à l'ombre de la tour est situé le Congress Centrum Hamburg. Depuis 1973, le CCH se prête à des manifestations nationales et internationales. 16 salles peuvent accueillir 7.500 personnes. Hambourg, ville des congrès.

Congress Centrum Hamburg

Hamburg-Messe

Planten und Blomen schenkt Entspannung nahe der rastlosen City. Flotte Rhythmen aus der Konzert-muschel. Beinahe Wirklichkeit: Kurstadt Hamburg.

Planten un Blomen Park affords relaxation in the heart of the bustling city. An afternoon concert gives the impression of a spa!

Planten un Blomen proporciona descanso junto a la febril City. Ritmos alegres desde el pabellón de conciertos. Hamburgo: casi un balneario.

Un moment de repos dans Planten un Blomen près de la cité bruyante. Des rythmes animés parvien-nent du pavillon de musique. Hambourg — pres-qu'une station balnéaire.

An Planten un Blomen grenzt das Messegelände mit 13 modernen Hallen. Bis zu 15 Fach- und Publikums-Messen finden hier jährlich statt. Messe-Stadt Hamburg.

Next to Planten un Blomen Park are the exhibition grounds with their thirteen modern halls. Up to fifteen trade and consumer fairs take place here annually.

El recinto de Exposiciones, con trece naves moder-nas, linda con Planten un Blomen. Cada año se cele-bran aquí hasta quince Ferias. Hamburgo, ciudad de las Exposiciones.

Le terrain de foires, contigu à Planten un Blomen, est équipé de treize pavillons. Jusqu'à quinze salons différents y ont lieu annuellement. Ville des foires.

Touristik-Stadt Hamburg. Wolken spiegeln sich in der gläsernen Rasterfassade des Hamburg Plaza, im höchsten Hotelgebäude der Bundesrepublik (118 Meter). Weitere Nobelherbergen? Vier Jahreszeiten, Atlantic, Reichshof, Inter-Continental. Mindestens 2,5 Millionen zählt Hamburg jährlich an Übernachtungen.

Tourist city Hamburg. Clouds are reflected in the glass façades of the Hamburg Plaza, Germany's highest hotel building (384 ft.) which stands in Planten un Blomen Park. Other luxury hotels? Vier Jahreszeiten, Atlantic, Reichshof, Inter-Continental. At least 2½ million overnight stays are registered each year in Hamburg.

Hamburgo, ciudad turística. Las nubes se reflejan en la fachada encristalada del Hamburg Plaza, el hotel más alto de la República Federal (118 metros). ¿Otras nobles residencias? Vier Jahreszeiten, Atlantic, Reichshof, Inter-Continental. Hamburgo registra anualmente un mínimo de dos millones y medio de pernoctaciones.

Hambourg, ville touristique. Des nuages se reflètent dans la façade vitrée de la tour de l'hôtel Hamburg Plaza (118 m), qui compte parmi les plus hauts de l'Allemagne. Il y a d'autres hôtels très renommés, Vier Jahreszeiten, Atlantic, Reichshof, Inter-Continental. Hambourg compte par an 2,5 millions de nuitées.

Hohe Bleichen 23

Chilehaus

Colonnaden 43

Alster-Schwimmhalle

Was der Zweite Weltkrieg in meiner Stadt verschont hat, das pflegen die Hamburger sehr sorgsam. Zum Beispiel die Häuser der Gründerzeit und der Jahrhundertwende. Durch mehrfarbige Anstriche werden die Stuckfassaden zu neuem Leben erweckt; Neobarock und Jugendstil machen jetzt Hamburg farbiger. Fritz Högers schnittige Schiffsbug-Architektur des Chilehauses von 1924 hat 1973 eine gewisse Parallele gefunden in der eigenwilligen Dachform der «Alster-Schwimmhalle».

Those buildings which survived the destruction of the Second World War are carefully looked after. For instance, the houses built during the last century and around 1900. Their richly ornamented stucco façades

Eppendorfer Landstraße 7

Alte Post: Nach florentinischem Vorbild   In Florentine style   Siguiendo un modelo florentino   En style italien

have been rejuvenated through painting in various colours; Neo-Baroque and Jugendstil make Hamburg more colourful. Fritz Höger's design of Chile House— in the shape of a ship's bow—found a certain parallel in 1973 with the unusual shape of the roof of the Alster Indoor Pool.

Lo que la segunda guerra mundial dejó sano en mi ciudad, lo cuidan los hamburgueses con esmero. Por ejemplo, las casas de la época fundacional y de fin de siglo. Las fachadas, ricas en estuco, reviven bajo la pintura en colores; el neobarroco y el estilo fin de siglo dan a Hamburgo más colorido. La estilizada arquitectura de proa de barco de la Chilehaus, de Fritz Höger, de 1924, tiene cierto paralelo con el singular

tejado de la «piscina del Alster» de 1973. La «Alte Post» de Chateauneuf, de 1847, aporta algo florentino.

Les Hambourgeois prennent soin de ce qui ne fut pas détruit par la deuxième guerre mondiale, à voir quelques bâtiments de l'époque de Guillaume 1er et de la fin de siècle. Repeintes en couleurs vives, les façades moulurées ont obtenu un nouvel éclat. Le néobaroque allemand et le style 1900 ont donné à Hambourg un nouveau coloris. La construction hardie du Chilehaus (1924) en forme de proue, œuvre de l'architecte Fritz Höger, permet une comparaison avec le toit remarquable de la piscine Alster-Schwimmhalle. L'Alte Post, œuvre de Chateauneuf rappelle l'architecture italienne.

St. Michaelis. Der bedeutendste barocke Kirchenbau Norddeutschlands, Wahrzeichen Hamburgs. Von Sonnin und Prey 1762 gebaut, Sonnin vollendete den 132 Meter hohen Turm 1786. Altar und Kanzel sind italienische Marmorarbeiten.

St. Michael's Church. The most important Baroque church in Northern Germany. Famous Hamburg landmark. Built in 1762 by Sonnin and Prey; the tower was completed in 1786 by Sonnin. Altar and pulpit contain Italian marble work.

St. Michel. La iglesia más importante barroca del Norte de Alemania, símbolo de Hamburgo. Construida en 1762 por Sonnin y Prey. Sonnin concluyó la torre en 1786. El altar y púlpito son trabajos italianos en mármol.

St. Michaelis. L'un des monuments baroques les plus importants de l'Allemagne du nord. Symbole de Hambourg. Construit en 1762 par Sonnin et Prey, la tour fut terminée en 1786 par Sonnin. L'autel et la chaire, œuvres italiennes.

St. Jakobi. Erstmals 1255 erwähnt. Hauptsächlich im 14. Jahrhundert erbaut. Im letzten Krieg zerstört. Der 124 Meter hohe Turm wurde 1961 neu erbaut. Sehenswert sind die Arp Schnitger-Orgel und der Trinitatis-Altar.

St. James's Church. First mentioned in 1255. Built mainly in the 14th century. Destroyed during the last war, the steeple was rebuilt in 1961. Items of interest are the Arp Schnitger organ and the Trinitatis altar.

St. Jakobi. Mencionada ya en 1255. Construida en el XIV. Destruida en la última guerra. La torre de 124 metros fue reconstruida en 1961. Dignos de verse son el órgano Arp Schnitger y el altar de la Trinidad.

St. Jakobi. Mentionné la première fois en 1255, bâti au 14ème siècle. Détruit à la dernière guerre. Sa tour fut reconstruite en 1961. Visitez ses orgues d'Arp Schnitger et son autel consacré à la Ste. Trinité.

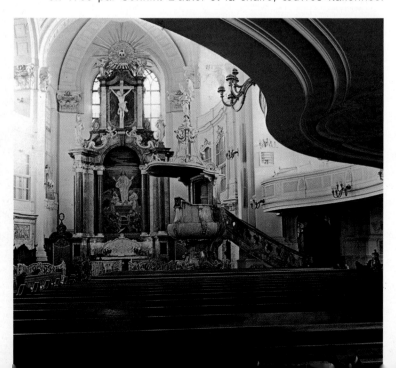

St. Petri. Älteste Pfarrkirche Hamburgs. Gegründet Anfang des 11. Jahrhunderts, neu gebaut im 14. Jahrhundert; 1842 zerstört und wiederaufgebaut. Besonders schön der Turm (133 m), ältestes Kunstwerk der Türklopfer von 1342.

St. Peter's Church. The oldest church in Hamburg. Founded in the first half of the 11th century. Rebuilt in the 14th century. The steeple is 440 ft high. Oldest work of art is the door-knocker from 1342.

St. Petri. La iglesia más antigua de Hamburgo. Creada en la primera mitad del XI. Reconstruida el XIV. Es notable su bella torre de 133 metros. El llamador de la puerta de la torre, de 1342, es la pieza de arte más antigua.

St. Petri, la plus ancienne église paroissiale de Hambourg, fondée dans la première moitié du 11ème siècle et reconstruite au 14ème siècle. Sa tour est très belle; au portail de la porte, la plus ancienne œuvre d'art, un heurtoir.

St. Katharinen. Eine hochgotische Basilika, 1420 vollendet. Der barocke Turm, 115 Meter hoch, war 1659 von Peter Marquardt erbaut worden. Die Kirche wurde im letzten Krieg völlig zerstört und bis 1957 wieder neu errichtet.

St. Catherine's Church. Late Gothic basilica, completed in 1420. The Baroque steeple, 378 ft high, was built in 1659 by Peter Marquardt. The church was completely destroyed during the last war and rebuilt in 1957.

St. Katharinen. Basílica del gótico tardío acabada en 1420. La torre barroca de 115 m. fue construida por Peter Marquardt en 1659. Quedó totalmente destruida en la guerra. Reconstruida hasta 1957.

St. Katharinen, une basilique en style gothique, achevée en 1420. Sa tour baroque a une hauteur de 115 m et fut élevée en 1659 par Peter Marquardt. Entièrement détruite à la dernière guerre. Sa reconstruction fut terminée en 1957.

Auf einem der schönsten Friedhöfe der Welt, auf dem 1877 eröffneten Ohlsdorfer Friedhof, haben zwei Millionen Hamburger ihre letzte Ruhe gefunden: in einem Park, der mit seinem alten Baumbestand, den Teichen, Rasenflächen und Blumenbeeten zu innerer Einkehr lädt. Zwei Buslinien verkehren auf dem dreieinhalb Kilometer langen Zentralfriedhof. Die Ehrenfriedhöfe für die Gefallenen beider Weltkriege, das Mahnmal für die Opfer des Faschismus und das Massengrab der vierzigtausend Bombenopfer des Juli 1943 mahnen zu Frieden und Humanität. An berühmte Hamburger erinnern die Gräber der Familie Laeisz, des Malers Philipp Otto Runge, Alfred Lichtwarks, Schöpfers der Kunsthalle, und Fritz Schumachers.

One of the most beautiful cemeteries in the world: Ohlsdorf Cemetery, which was opened in 1877. Two million people lie buried here; in a park which invites contemplation with its old trees, ponds, lawns and flower beds. Two bus services operate inside the 2-mile long main Hamburg cemetery. The graves of the fallen of two world wars, a memorial to the victims of Fascism and the mass grave, where 40,000 people who lost their lives in the July air raids in 1943, are stark reminders of the need for peace and humanity. Famous Hamburg citizens buried here include the family Laeisz, the painter Philipp Otto Runge, Alfred Lichtwark, creator and first director of the Hamburg Art Gallery, and Fritz Schumacher.

En uno de los más bellos cementerios del mundo, Ohlsdorfer Friedhof, creado en 1877, descansan dos millones de hamburgueses. Un parque de viejo arbolado y estanques, macizos de césped y flores que invita a meditar. Dos líneas de autobuses circulan por este cementerio de tres kilómetros y medio de largo. El panteón de honor de los caídos en ambas guerras, el monumento a las víctimas del fascismo y la fosa común de las cuarenta mil víctimas de los bombardeos de Julio de 1943, son una amonestación a la paz y a la humanidad. Las lápidas recuerdan a famosos hamburgueses, como la familia Laeisz, el pintor Philipp Otto Runge, Alfred Lichtwark, fundador del Museo de Pintura, y el urbanista Fritz Schumacher.

Sur le cimetière d'Ohlsdorf, aménagé en 1877 et qui est l'un des plus beaux cimetières du monde, reposent 2 millions d'âmes. Ce parc avec ses très vieux arbres, ses étangs et fleurs, invite à la réflexion. Deux lignes d'autobus existent sur ce cimetière central dont la longuer mesure 3½ km. Les sepultures militaires des victimes des deux dernières guerres, le monument commémoratif des victimes du fascisme et la fosse commune des 40 mille victimes des bombardements du juillet 1943, font appel à l'humanité. Quelques tombes rappellent des personnages célèbres comme Laeisz, le peintre romantique Philipp Otto Runge, Alfred Lichtwark, créateur de la Kunsthalle, et l'urbaniste Fritz Schumacher.

Das Mahnmal für die Bombenopfer mit der von Gerhard Marcks geschaffenen Skulptur «Fährmann Charon mit dem Totennachen»
Memorial for the air raid victims with Gerhard Marcks' sculpture «Charon and the Boat of Souls»
El monumento a las víctimas de los bombardeos, con la escultura de Gerhard Marcks «Caronte con la barca de los muertos»
Le mémorial pour les victimes des bombardements et la sculpture de Gerhard Marcks «Charon, nocher des Enfers, dans sa barque»

Den festlichsten Anblick, den meine Stadt zu vergeben hat, genießen Sie
von der Lombardsbrücke aus. Ich, Ihre Begleiterin Hammonia, rate Ihnen,
dies am Abend zu tun. Dann erleben Sie, wie in dieser unbeschreiblichen
Hamburger Atmosphäre die mattleuchtenden Glaskugeln der Gußeisen-
kandelaber zu schweben scheinen, während im Wasser der Binnenalster
die Lichter des Jungfernstiegs tanzen. Schon 1807 hat einmal ein nächt-
licher Wanderer unter dem Eindruck der Binnenalster-Szenerie gesagt,
«daß jeder Dichter Maler sein möchte, um hier mit voller Kraft kopiren zu
zu können». Ist es Zufall, daß 1913 zwei französische Impressionisten,
jene Maler, die sich der Darstellung von Licht und Luft verschrieben haben,
von Hamburg ausschließlich Alsterbilder fertigten? Es waren Bonnard und
Vuillard, die damals auf Initiative Lichtwarks nach Hamburg gekommen
waren. Ihre Bilder sind in der Kunsthalle zu bewundern!

The most splendid view my city offers you is from the Lombardsbrücke.
I, your guide Hammonia, suggest you to go there in the evening when
the lamps of the forged iron candelabra seem to hover in the air whilst
the lights of the Jungfernstieg dance in the water of the Inner Alster.
Already in 1807 this view of the Alster by night inspired someone to say
«this is where every poet would like to be a painter in order to express
himself fully». Is it by chance, therefore, that in 1913 the Hamburg scenes
painted by two French impressionists—painters dedicated to the portrayal
of light and air—were solely of the Alster? The artists were Bonnard and
Vuillard, who were persuaded to come to Hamburg by Lichtwark. Their
paintings can be been in the Hamburg Art Gallery.

La vista más engalanada que ofrece mi ciudad podrá disfrutarla desde
el Lombardsbrücke. Yo, su acompañante Hammonia, le aconsejo hacerlo
por la noche. Podrá ver en esa indescriptible atmósfera hamburguesa
cómo brillan las bolas de cristal de las farolas de candelabro, mientras
las luces de Jungfernstieg parecen danzar en el agua del Alster interior.
En 1807, un paseante noctámbulo, bajo la impresión del escenario del
lago Alster, dijo: «el poeta desearía ser pintor para poder copiar esto
con toda su fuerza». ¿Fue casualidad que, en 1913, dos pintores impre-
sionistas franceses, es decir, de una escuela consagrada a representar
la luz y el aire, pintaran exclusivamente cuadros del Alster? Se trataba
de Bonnard y Vuillard, que vinieron a Hamburgo por iniciativa de Lichtwark. Sus cuadros puede admirarlos en la pinacoteca Kunsthalle.

La nuit, vu du pont Lombardsbrücke, ma ville se présente sous son
aspect le plus solennel. Les boules couronnant les candelabres en fer
forgé, répandent une lumière pâle et paraissent flotter dans la nuit tandis
que les lumières du Jungfernstieg dansent sur les vagues de la Binnenalster. En 1807 déjà, dit un passant sous l'impression d'une telle scène
nocturne qu'à un moment semblable, tout écrivain aimerait être peintre
pour copier ce spectacle. Est-ce par hazard qu'en 1913 deux impressio-
nistes français, peintres qui faisaient de la lumière l'objet essentiel de
leur peinture, faisaient à Hambourg que des tableaux de l'Alster? Je parle
de Bonnard et Vuillard, qui étaient venus à Hambourg sur l'initiative de
Lichtwark. Admirez leurs tableaux dans la Kunsthalle!

Fußgänger-Oasen, die zum Schlendern und Verweilen einladen, machen Hamburgs Innenstadt immer attraktiver. Nahe der Mönckebergstraße wurde 1974 die Landesbank-Galerie eingerichtet, eine Ladenpassage, in der über dreißig Geschäfte ein Weltstadtangebot bereithalten. Am Galerie-Eingang Gerhart-Hauptmann-Platz stoßen Sie auf die «Hamburg-Spezialisten». Zuerst einmal im Glaspavillon an der Freitreppe auf den «HamburgTip», der Ihnen mit Auskünften, bunten Prospekten und der Zeitschrift «Hamburgtips» die aktuellsten Informationen über das gibt, was in meiner Stadt im Brennpunkt des Interesses steht. Mehr dem Traditionellen verpflichtet ist das Geschäft nebenan: «Die Hamburgensie» mit ihren Bildern vom alten Hamburg.

Traffic-free oases, which invite people to stroll around and look at the shops, have made the centre of Hamburg even more attractive. Near Mönckeberg-strasse, the «Landesbank-Galerie» was built in 1974, and more than 30 shops here offer a selection of goods which would do any international city proud. At the Gerhart-Hauptmann-Platz entrance you will find the «Hamburg specialists». First of all, HamburgTip, a bizarre glass pavilion where you can obtain information, prospectuses and the «Hamburg Guide», which contains up-to-date details about events taking place in my city. A few steps away is a shop which dedicates itself to all things traditional in Hamburg: «Die Hamburgensie», with its many pictures of Old Hamburg.

Los oasis de peatones invitan a pasear y detenerse y hacen cada vez más atractivo el Centro de Hamburgo. Cerca de la Mönckebergstrasse se construyó en 1974 la Landesbank-Galerie, un pasaje de tiendas que, en número de treinta, ofrecen todo lo que brinda una ciudad cosmopolita. Junto a la entrada Gerhart-Hauptmann-Platz encontrará a los especialistas en Hamburgo. Primero, en el pabellón de cristal, «HamburgTip», con informaciones y prospectos y la revista «Hamburgtips», conteniendo todo lo que ocupa el centro de interés de la ciudad. Dedicada en mayor medida a lo tradicional encontrará al lado «Die Hamburgensie», una galería de arte especializada en cuadros y estampas del viejo Hamburgo.

Le centre de Hambourg devient de plus en plus attrayant grâce à des paradis de piétons qui invitent à flâner et à s'arrêter un moment. Près de la Mönckebergstrasse à été ouvert en 1974, la Landesbank-Galerie abritant une trentaine de magasins bien achalandés. Du côté Gerhart-Hauptmann-Platz, à l'entrée de la galerie vous tomberez sur les spécialistes de Hambourg, à voir le centre de renseignements «HamburgTip». Dans le pavillon vitré vous obtiendrez des prospectus de la ville et le journal Hamburgtips, qui fournit les plus actuelles informations sur Hambourg. Quant au magasin en face, «Die Hamburgensie», c'est la tradition qui lui a donné son cachet: vous y trouverez des vues et gravures historiques de Hambourg.

Spitalerstraße

Mönckebergstraße

Shopping in Hamburg — das sollten Sie sich leisten und zu kultivieren versuchen. In der Mönckebergstraße, dem großen Werk des Stadtplaners Fritz Schumacher von 1913, und in der Spitalerstraße werden Sie vom breiten Angebot der Kauf- und Bekleidungshäuser überwältigt. Möchten Sie das ganz Exklusive, seien Ihnen empfohlen der Jungfernstieg, die Alsterarkaden, der Neue Wall, die Großen Bleichen, der Gänsemarkt, kurz: alle Straßen rings um die Binnenalster! In der Weihnachtszeit illuminieren Sterne und Girlanden das Einkaufsparadies der City.

Shopping in Hamburg – this is an exciting experience you should not miss. In Mönckebergstrasse, a masterpiece of the city architect, Fritz Schumacher, and in Spitalerstrasse, you will be astonished at the huge choice of goods in the shops and clothing stores. If you are looking for something exclusive, you should go to Jungfernstieg, Alsterarkaden, Neuer Wall, Grosse Bleichen or Gänsemarkt: in other words, all the streets around the Inner Alster. At Christmas-time the lights and decorations in the shopping centre are really worth seeing.

De compras en Hamburgo — vale la pena intentar cultivarlo. En la Mönckebergstrasse, la gran obra de 1913 del urbanista Fritz Schumacher, y en la Spitalerstrasse le impresionará la amplia oferta de los grandes almacenes y confecciones. Si desea algo muy exclusivo se le recomienda ir a Jungfernstieg, Alsterarkaden, Neuer Wall, Grosse Bleichen, Gänsemarkt, es decir, todas las calles en torno al Alster interior. En Navidades, estrellas y guirnaldas iluminan este paraíso del comprador en la City.

Shopping à Hambourg, permettez-vous souvent ce plaisir. La Mönckebergstrasse datant de 1913, la plus importante œuvre de l'urbaniste Fritz Schumacher, et la Spitalerstrasse vous surprendront par ses multiples magasins et boutiques spécialisés dans les vêtements. Vous aimez les objets de prix? Vous en trouverez au Jungfernstieg et dans toutes les rues autour de la Binnenalster: Alsterarkaden, Neuer Wall, Grosse Bleichen, le Gänsemarkt. A noël, des étoiles et guirlandes illuminent la cité.

Alsterarkaden
an der Kleinen Alster

Spitalerstraße

Neuer Wall

Zwischen Millerntor und Großer Freiheit, da liegt die schillernde Welt St. Paulis: Für manche Leute der eigentliche Grund zum Hamburg-Besuch. Nicht alles ist wahr, was über St. Pauli kursiert. Aber ersparen Sie mir als Dame, zum Thema Sex und Amusement ins Detail zu gehen.

Between Millerntor and Grosse Freiheit lies the glittering world of St. Pauli—for many people the real reason for visiting Hamburg. You don't have to believe everything you hear about St. Pauli. But please don't expect a lady like me to go into details about sex.

Entre Millerntor y Grosse Freiheit está el mundo centelleante de St. Pauli; para muchos el verdadero motivo de su visita a Hamburgo. No es cierto todo lo que se dice de St. Pauli. Pero, como dama, permítame ahorrar detalles sobre el tema sexo y diversiones.

Entre Millerntor et Grosse Freiheit est situé le quartier de plaisir, St. Pauli qui est pour quelques touristes le but unique de leur voyage. On raconte beaucoup sur St. Pauli sans que tout soit vrai. Mais n'oubliez pas que je suis une dame qui ne parle pas de sexe.

Show im Colibri

Spielbudenplatz mit dem Panoptikum

Große Freihe

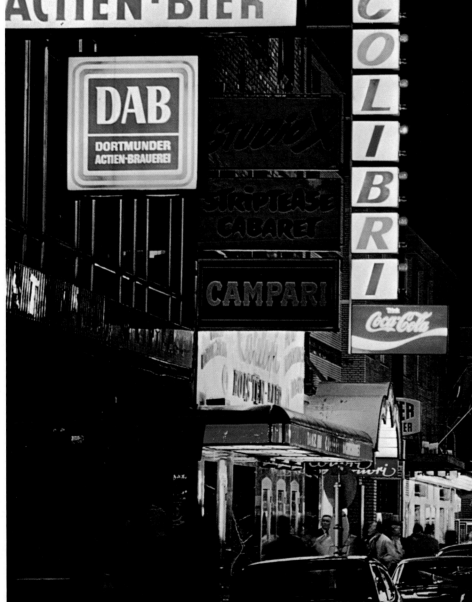

Hamburgische Staatsoper, Dammtorstraße

Musikhalle, Karl-Muck-Platz

St. Pauli-Theater, Spielbudenplatz

Deutsches Schauspielhaus, Kirchenallee

Feinere Kunstgenüsse vermitteln Theater und Musik in meiner Stadt. Die Hamburgische Staatsoper hat Weltgeltung; Deutsches Schauspielhaus, Thalia-Theater und viele Privat-Theater unterschiedlichen Genres sorgen für ein ereignisreiches Kulturleben.

The theatres and musical life in my city will more than satisfy your thirst for culture. The Hamburg State Opera is of world standing; the Deutsches Schauspielhaus and Thalia Theatre together with many private theatres offer a wide choice of entertainment.

Placeres artísticos más delicados le ofrece en mi ciudad el teatro y la música. La Opera hamburguesa tiene prestigio mundial; el Deutsches Schauspielhaus y el Thalia-Theater junto con muchos otros teatros particulares de los más diversos géneros enriquecen la vida cultural.

Sans me gêner, je peux vanter les représentations théâtrales et musicales. L'opéra de Hambourg jouit d'une renomée mondiale; les théâtres de tout genre, Deutsches Schauspielhaus, Thalia-Theater et bien d'autres théâtres privés enrichissent la vie culturelle de Hambourg.

Thalia-Theater, Alstertor

Philipp Otto Runge (1777–1810): Der Morgen, 2. Fassung 1809, Selbstbildnis 1809/10, Die Lehrstunde der Nachtigall, 2. Fassung 1805

Die Hamburger Kunsthalle, Lebenswerk Alfred Lichtwarks (1852–1914), bietet bedeutende Skulpturen- und Graphiksammlungen sowie Gemälde von der Gegenwart bis zurück ins 14. Jahrhundert. Runge, Friedrich und Liebermann sind nirgends besser zu sehen als hier.

The Hamburg Art Gallery, made great by Alfred Lichtwark (1852–1914), contains important sculptures, collections of graphic art, paintings from the 14th century to the present. Works by Runge, Friedrich and Liebermann are nowhere more impressive than here.

La Kunsthalle, a la que consagró su vida Alfred Lichtwark (1852–1914), presenta importantes esculturas y colecciones de grabados, y sobre todo cuadros desde el XIV hasta hoy: Runge, Friedrich y Liebermann, en ningún sitio mejor representados que en Hamburgo.

La Kunsthalle, la plus importante œuvre d'Alfred Lichtwark (1852–1914) possède une remarquable collection de sculptures, collection graphique et des peintures du 14ème siècle jusqu'à nos jours. Pour en citer quelques uns: Runge, Friedrich et Liebermann.

Hamburger Kunsthalle

Max Beckmann (1884—1950): Selbstbildnis 1936, Odysseus und Kalypso 1943

Museum für Kunst und Gewerbe: «Zwei Chinesenbuben». Porzellan von Kaendler, Meißen 1749

Das Museum für Kunst und Gewerbe, ins Leben gerufen von Justus Brinckmann (1843–1915), nennt 200 000 Objekte aus allen Kulturen der Menschheit sein eigen. Europäisches Porzellan ist stark vertreten.

The Museum for Arts and Crafts, founded by Justus Brinckmann (1843–1915), contains 200,000 exhibits from all cultures. European porcelain is strongly featured here.

El Museo de Arte y Artesanía – Museum für Kunst und Gewerbe –, creado por Justus Brinckmann (1843–1915), posee dos cientos mil objetos de todas las Culturas y épocas de la Humanidad. La porcelana europea está muy bien representada allí.

Le Museum für Kunst und Gewerbe, crée par Justus Brinckmann (1843–1915) possède deux cent mille objets d'art de toutes les cultures et époques. Collection importante de porcelaines européennes.

Das Hamburgische Museum für Völkerkunde, begründet 1878, informiert mit reichen Schausammlungen über die Kulturen aller Erdteile in Gegenwart und Vergangenheit. Prunkstück ist das holzgeschnitzte Haus der Maori von Neuseeland.

The Museum of Ethnology, founded in 1878, displays cultural and ethnological exhibits from all parts of the world. One of the finest exhibits is a Maori meeting-house.

El museo etnográfico Museum für Völkerkunde, fundado en 1878, informa con sus ricas colecciones sobre las Culturas actuales y pretéritas de todo el mundo. Es notable la casa Maori de Nueva Zelanda, tallada en madera.

Le Hamburgisches Museum für Völkerkunde, fondé en 1878, possède de riches collections illustrant les cultures de tous les continents et toutes les époques jusqu'à nos jours. La plus belle pièce est une maison taillée en bois des Maoris de la Nouvelle-Zélande.

Das Museum für Hamburgische Geschichte birgt viele Schätze. Das Portal von 1617, ehemals am Hause Große Reichenstraße 49, das Konvoyschiff (Seite 6) und die Diele (Seite 16) sind Zeugen aus alter Zeit.

The Museum of Hamburg History shows the cultural history and evolution of Hamburg. The doorway from 1617, which used to be at Grosse Reichenstrasse 49, the convoy ship (page 6), and the hall (page 16) are relics from Hamburg's past.

El museo histórico Museum für Hamburgische Geschichte es una amplia visión de la ciudad. El portal de 1617, el buque convoy (página 6) y el vestíbulo (página 16) son testimonios del viejo Hamburgo.

Le Museum für Hamburgische Geschichte retrace toute l'histoire de Hambourg. Le portail de 1617 qui autrefois décorait la maison à la Grosse Reichenstrasse 49, le navire (page 6) et la hall (page 16) témoignent du passé de Hambourg.

Das Altonaer Museum, 1863 eröffnet, widmet sich besonders der Kunst-, Kultur- und Schiffahrtsgeschichte Norddeutschlands. Bedeutend die originalen Bauernstuben und die alten Galionsfiguren.

Altona Museum, opened in 1863, is devoted particularly to the art, cultural and shipping history of Northern Germany. Interesting exhibits are the old peasant dwellings, a Vierlanden farmhouse and the collection of ship's figureheads.

El Altonaer Museum, inaugurado en 1863, está especializado en historia del Arte, la Cultura y la Navegación del Norte de Alemania. Son importantes las masías y los mascarones de proa.

L'Altonaer Museum, ouvert en 1863, se consacre avant tout à la culture, l'art et la navigation de l'Allemagne du Nord. D'un très grand intérêt sont les intérieurs paysans et les proue d'époque.

Museum für Hamburgische Geschichte: Renaissance-Portal vom Haus Gr. Reichenstraße 49

Auch das gibt es: Intensive Land- und Forstwirtschaft in meiner Stadt. Die Jahresproduktion von Obst, Gemüse und Blumen wird auf 250 Millionen Mark geschätzt. Der Staat Hamburg besitzt selbst neun eigene Güter und acht Revierförstereien. Von alter Kultur sind die Vierlande, wo früher die schmucken Trachten getragen wurden. Curslack, Zentrum der Blumenzucht, besticht durch seine St. Johanniskirche von 1599.

This is also found in my city: a considerable amount of agriculture and forestry. The annual production of fruit, vegetables and flowers is estimated at DM 250 million. The Hamburg State owns nine large farms and eight forests. An area with a character of its own is Vierlanden where in former times colourful costumes used to be worn. Curslack, centre of the flower growing area, contains the beautiful St. John's Church.

También hay esto: economía agraria y forestal. La producción anual de fruta, verdura y flores se valora en 250 millones de marcos. El Estado de Hamburgo posee nueve haciendas y ocho propiedades forestales. De acusada tradición es la región Vierlande, en la que hasta hace unos años se llevaban los trajes regionales. Curslack, centro de la floricultura, atrae la atención por su bella iglesia St. Johannis del año 1599.

Dans ma ville, on fait même de l'exploitation agricole et forestière. La production annuelle de fruits, légumes et fleurs est estimée à 250 millions de Dmarks. L'Etat de Hambourg est propriétaire de neuf domaines et huit secteurs forestiers. Les vieilles cultures maraîchères caractérisent les Vierlande où on portrait autrefois de jolis costumes folkloriques. Curslack, centre de floriculture, possède une belle église datant de 1599: St. Johannis.

Curslack: Rieck-Haus

Kirche St. Petri und Pauli an der Bergedorfer Schloßstraße

Bergedorf: Haus «Stadt Hamburg»

Bergedorf, Eingangstor zu den Vierlanden, 400 Jahre lang von Lübeck und Hamburg verwaltet und seit 1867 nur noch hamburgisch, hat durch das Einkaufszentrum Sachsentor einen modernen Kern erhalten. Winzig dagegen die Kirche St. Petri und Pauli und das Schloß.

Bergedorf, gateway to Vierlanden, administered for 400 years by Lübeck and Hamburg, and part of Hamburg since 1867, has now acquired a modern centre through its Sachsentor shopping precinct. Nearby, the Church of St. Peter und Pauli and Bergedorf Castle.

Bergedorf, puerta de acceso a Vierlanden, administrada durante cuatro siglos por Lübeck y Hamburgo y desde 1867 hamburguesa, cuenta hoy con un núcleo moderno gracias al nuevo centro comercial. A su lado, minúsculos, la iglesia de St. Petri y Pauli y el castillo.

Bergedorf, porte d'accès à la région Vierlande, autrefois administré par Lübeck et Hambourg, appartient depuis 1867 à Hambourg; son nouveau centre d'achat forme le noyau moderne de la ville. Minuscules paraissent à côté le château et l'église «St. Petri und Pauli».

Das Rieck-Haus in Curslack, seit 1954 Außenstelle des Altonaer Museums, ist mit seinem Schmuckgiebel das älteste erhaltene Haus in den Vierlanden (ca. 1533). Zusammen mit der Bockwindmühle aus dem 19. Jahrhundert ist es ein sehenswertes Freilichtmuseum.

Rieck House in Curslack, owned by Altona Museum since 1954, is the oldest house in Vierlanden (origin ca. 1533). This interesting open-air museum also contains an old windmill from the last century.

La Rieck-Haus en Curslack, filial del Altonaer Museum desde 1954, con su caballete ornamentado, es la casa más antigua que se conserva en Vierlanden (aprox. 1533). Con el Bockwindmühle del XIX, es un notable museo al aire libre.

La Rieck-Haus à Curslack, depuis 1954 dépendance du Musée d'Altona, est avec son pignon la plus vieille maison conservée de Vierlande (vers 1533). Ensemble avec le moulin à vent du 19ème siècle, elle est un musée en plein air intéressant.

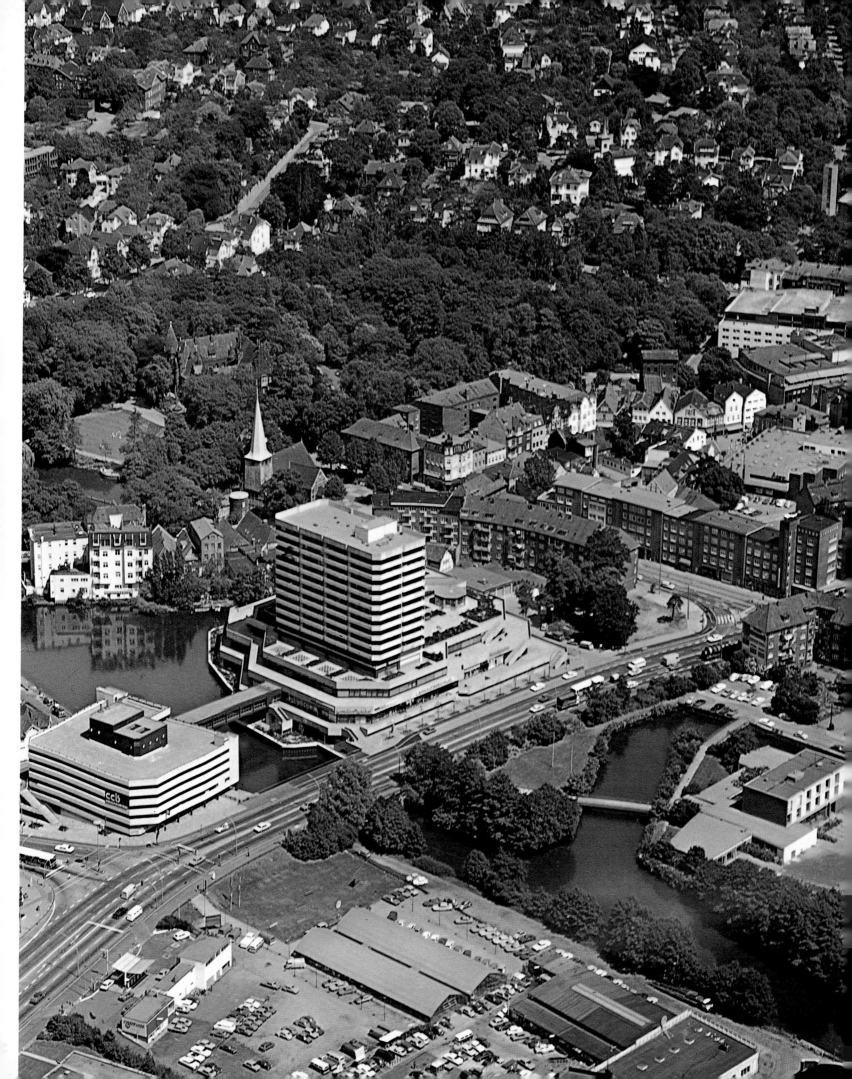

Harburg:
Rathaus   Town Hall
Ayuntamiento
L'hôtel de ville

Harburg:
Fußgängerzone
Lüneburger Straße
beim
Marktplatz «Sand»

Harburg, seit 1937 zu Groß-Hamburg gehörig, ist ein wichtiger Konzentrationspunkt von Hamburgs Industrie. Erstmals 1142 erwähnt, erhielt Harburg 1297 das Stadtrecht. Das Rathaus ist vom Jahr 1892, der Sand ein vielbesuchter Markt. In Wilhelmsburg steht an der Schönenfelderstraße eine holländische Windmühle.

Harburg, incorporated into Greater Hamburg in 1937, contains an important concentration of Hamburg industry. First mentioned in 1142, Harburg received its town charter in 1297. The town hall was built in 1892 and the Sand is a popular market square. A Dutch windmill stands at Schönenfelderstraße in Wilhelmsburg.

Harburg, perteneciente a Hamburgo desde 1937, es un importante centro de congregación de la industria. Citado por primera vez en 1142, recibió en 1297 el estatus de ciudad. El Ayuntamiento es del año 1892. Su mercado, der Sand, es muy concurrido. En Wilhelmsburg se alza un viejo molino de viento holandés.

Harburg, depuis 1937 partie de Hambourg, est une place industrielle importante. Mentionné la première fois en 1142, Harburg obtient le droit municipal en 1297. L'hôtel de ville date de 1892. Le «Sand» est un marché très fréquenté. A Wilhelmsburg on voit encore un vieux moulin à vent hollandais.

Ehestorf: Freilichtmuseum Kiekeberg

Neuenfelde: Nincoper Straße 45

Zum Abschied führe ich Sie in den Südwesten meiner Stadt. Fast einen Steinwurf jenseits der Stadtgrenze demonstriert Harburgs Helms-Museum in Ehestorf, am Kiekeberg, die bäuerliche Kultur der Nordheide. Und in Neuenfelde, im *hamburgischen* Teil des Alten Landes — wo genausoviel Obst geerntet wird wie im ganzen Land Schleswig-Holstein —, da muß ich Ihnen die schönste aller Prunk-Pforten zeigen, die Sie im Alten Land sehen können. Sie stammt von 1683 und steht vor dem nicht minder schönen Bauernhaus Nincoper Straße 45. Ausgerechnet vor einer geschlossenen Tür endet nun unser gemeinsamer Exkurs, der Ihnen die Augen öffnen sollte für ein Hamburg, das Sie wohl kaum erwartet hatten. Als letzte Impression also eine geschlossene Tür? Typisch für die s-teifen Hamburger? Aber, nein doch! Ich werde Ihnen alle Türen öffnen, wann immer Sie wieder in meine Stadt kommen. Auf Wiedersehen in Hamburg. Ihre Hammonia.

Before we say goodbye I'd like to show you the south-western part of my city. Just beyond its boundary, the Helms Outdoor Museum at Kiekeberg in Ehestorf affords an impression of peasant life and culture in the north of the Lüneburg Heath 200 years ago. And in Neuenfelde, the *Hamburg* part of Altes Land—where incidentally as much fruit is harvested as in the whole of Schleswig-Holstein—I must show you the most beautiful ornamental gateway in the whole of Altes Land. It originates from 1683 and stands in front of the no less beautiful farm-house at Nincoper Strasse 45. A closed door! Of all the ways to end our tour! Which was intended to open your eyes to aspects of Hamburg you had certainly not expected. Is this to be the last impression? Typical of the reserved Hamburger? No, of course not. I shall open all doors for you whenever you visit my city again. Goodbye from Hammonia.

Como despedida le voy a llevar al Suroeste de mi ciudad. Casi a un tiro de piedra de los límites de la ciudad, el Museo Helms de Harburg, en Ehestorf, junto a Kiekeberg, presenta la cultura campesina de la Nordheide. Y en Neuenfelde, la parte *hamburguesa* de Altes Land — donde se cosecha tanta fruta como en todo el Estado de Schleswig-Holstein — tengo que enseñarle el portalón ornamentado más bello de la región. Es de 1683 y se encuentra en la casa labriega, no menos bella, en la Nincoper Strasse 45. Nuestra excursión termina precisamente ante una puerta cerrada, aunque su intención era abrirle los ojos hacia un Hamburgo que apenas había imaginado. La última impresión, ¿una puerta cerrada? ¿un símbolo de los estirados hamburgueses?. ¡De ningún modo!. Cada vez que vuelva a Hamburgo yo me encargaré de abrirle todas las puertas de mi ciudad. ¡Hasta volver a vernos en Hamburgo! Suya, Hammonia.

Pour terminer, je vous amène dans le sud-ouest de ma ville. Non loin des frontières de Hambourg, le musée de Harburg, situé à Ehestorf au Kiekeberg, donne une idée sur le folklore de la région Nordheide. A Neuenfelde, situé dans la région Altes Land, mais territoire *hambourgeois* (pour votre information: sa récolte de fruits est aussi importante que celle de tout Schleswig-Holstein), je vous montre le plus beau porche de cette région. Il date de 1683 et se trouve devant une ferme qui n'est pas moins belle. C'est devant une porte fermée que notre excursion commune, qui se proposait de vous présenter Hambourg sous un aspect que vous ignoriez jusqu'alors, s'achève. La dernière impression, une porte fermée. Est-ce typique pour la mentalité nordique? Mais loin de là. Lors de votre prochaine visite, je vous ouvrirai toutes les portes. Au revoir à Hambourg, votre Hammonia.

ORGE DER VORMÜNDER ALEIN QUAST·UND·JACOB·BRANT·DIESES NEUE WIEDER ERBAUET 1778 UND IST GERIC

Neuenfelde, Nincoper Straße 45 (Anno 1778): Vordergiebel mit reichem Ziegelmuster, Balkeninschrift und Tür von 1838
Front gable with tile pattern, inscription and door from 1838   Frontis del caballete ornamentado, inscripción en la viga y
puerta de 1838   Façade avec ornements de briques, inscription sur la poutre, porte de 1838